DE FIETSER VAN TSJERNOBYL

Javier Sebastián

De fietser van Tsjernobyl

WERELDBIBLIOTHEEK · AMSTERDAM

Vertaald uit het Spaans door Peter Gelauff

De vertaler ontving voor deze vertaling een werkbeurs van het Nederlands Letterenfonds

Deze roman is een kunstgreep van de fantasie. Er worden enkele episodes in verteld uit het leven van prof. Vasili B. Nesterenko, overleden in Minsk in augustus 2008. Andere episodes zijn verzonnen.

Omslagontwerp Studio Ron van Roon
Omslagillustratie © Trevillion
Foto auteur © Elena Partridges

Oorspronkelijke titel *El ciclista de Chernóbil*
© 2011 Javier Sebastián Luengo
Auteur vertegenwoordigd door Silvia Bastos, S.L. Lit.ag.
Padre Claret, 21 – 08037 Barcelona
© 2015 Nederlandse vertaling Peter Gelauff en
Uitgeverij Wereldbibliotheek bv
Johannes Vermeerstraat 63, 1071 DN Amsterdam

www.wereldbibliotheek.nl

ISBN 978 90 284 2593 4
E-BOEK 978 90 284 4112 5

Voor mijn ouders,
want van hen was mijn eerste woord.

1

Elke seconde duurde een eeuwigheid, alsof alles zich afspeelde op de bodem van de zee.

Ik bladerde door een reportage over de schipbreuk van de Lusitania in 1915, ik richtte mijn blik omhoog en zag ze de trap van het zelfbedieningsrestaurant op komen. 1198 passagiers kwamen om op dat schip onder Britse vlag. En de oude man en de vrouw leken overlevenden van die ramp.

De locatie was een modern zelfbedieningsrestaurant met vitrines waarin verschillende combinaties van menu's, garnering en supplementen werden aangekondigd. Ze liepen naar een tafeltje dicht bij de automaat voor servetten en sauzen in eenpersoonsverpakking. De vrouw droeg twee tassen vol kleding. Een zware vracht, het leek wel een verhuizing. Ik deed een poging om terug te keren naar mijn zondagskrant, want wat ik zag ging me niets aan. Wie opdracht had gegeven om op de Lusitania te schieten, las ik, had de *Cruiser Rules* niet in acht genomen, die verplichten burgerschepen te ontruimen alvorens ze aan te vallen. Ook al zou later de Slag bij de Marne volgen, die bij de Mazurische Meren, die bij de Somme.

Ik keek nog eens naar de Pas Gearriveerde Schipbreukelingen, ik kon het niet laten. Hij ging zitten, wat hij feitelijk deed was zich in de stoel laten neervallen. Hij moest gekweld worden door ondraaglijke reumatische pijnen. Zij zette hem recht, want hij was gevaarlijk ver opzij gezakt.

Aangezien het mijn zaak niet was, ging ik door met lezen. Ik bladerde door een artikel over de Tobintax, waarvan alleen de kop me interesseerde, sloeg meer pagina's om en stond stil bij een advertentie. Op een vrouwenheup ligt een digitale Pentax, ik wou dat ik nu op dat strand lag. Maar dat kan niet, het is een zondag en september, ik ben elfhonderd kilometer van huis en niemand heeft aandacht voor de ander. Hoewel, ik wel, ik kijk uit mijn ooghoek, ik let overal op: de Twee Overlevenden van de Lusitania begonnen de doosjes met hun maaltijd te openen, trendy doosjes, de vrouw moet het doen, want hij kan het niet. Wellicht is het de verjaardag van een van de twee en zijn ze het komen vieren. Het restaurant ligt aan de beroemdste boulevard van het land. Het land is Frankrijk, en door de ramen heb je een uitzicht dat als duur, bevoorrecht moet worden beschouwd.

De man zakt weer in elkaar, maar alsof zij het die dag al vaak heeft moeten doen duwt ze tegen hem aan om te voorkomen dat hij valt. Ze veegt zijn haar uit zijn gezicht.

Ik moest servetjes hebben, dat was mijn excuus om erlangs te lopen. Toen zag ik alles. De man kon ternauwernood kauwen, eigenlijk denk ik dat hij niet eens at.

En inderdaad, er zat kleding in de tassen. Dat zag ik duidelijk.

Toen ik weer aan mijn tafeltje zat, spreidde ik de krant als een waaier voor me uit alsof ik van plan was lang te blijven zitten in dat restaurant, dat me plotseling als een gezellige, bijna huiselijke plek voorkwam. Ik wierp een steelse blik. Zijn pak was hem te groot. Het colbertje was jaren geleden misschien zijn maat geweest, nu niet meer.

Zij staat op. Ze klopt de kruimels van haar blouse. Ze zet de restjes van de maaltijd op het dienblad met de kalmte van iemand die de dingen goed wil doen, en brengt ze naar de afvalbak. Daar gooit ze alles in. Ze keert naar hem terug. Ze buigt een beetje naar hem over alsof ze hem iets in het oor wil zeggen, maar ten slotte komt ze overeind en zwijgt, ze beperkt zich ertoe het boord van zijn overhemd om te slaan, dat van achteren overeind stond. Ze geeft hem een kus op het voorhoofd, streelt zijn gezicht, geeft nog een kus en loopt weg. Ze is weg.

De vrouw was vertrokken en had de Overlevende van de Lusitania samen met twee zakken vol kleding achtergelaten. Tien minuten later was ze nog niet terug. Een kwartier later ook niet, en zelfs een half uur later niet. Zodoende moest ik, aangezien de man van zijn stoel dreigde te glijden en zij niet terugkwam, naar hem toe lopen en hem recht zetten. Dat ik zo met hem te doen had in die houding, zei ik hem op de meest meelevende toon.

De Overlevende van de Lusitania antwoordde niet. Hij bleef me aankijken als iemand die iets niet begrijpt. Met een gebaar vroeg hij me iets om op te schrijven, dat leek me althans, en ik gaf hem een papieren servetje, schrijf maar op wat u wilt, zei ik, als u niet kunt spreken of als dat u vermoeit dan kunnen we op papier met elkaar praten. Hier heeft u mijn balpen ook. Maar toen trok de man zijn schouders op en wilde niet meer schrijven.

Ik hielp hem goed te gaan zitten. Hij moest niet omvallen terwijl ik mijn spullen pakte en opstapte. Wat er daarna gebeurde zou iemand anders wel weten op te lossen. Maar toen ik de trap afliep kwam ik een ober tegen en ik bedacht dat het weinig moeite kostte hem te waarschuwen, dus ik zei hem:

Ik zei, let op die man daar. Zorg voor hem want hij is alleen gelaten.

De man van Prypjat had zijn toevlucht gezocht in de cabine van de botsautootjes. Hij sorteerde de fiches op kleur, sommige middagen sloeg hij slangen dood met een koekenpan. Hij droeg twee overjassen en had er nog een als reserve.

De cabine van de attractie was veiliger dan een etage, want er zwierven loslopende honden over de patio's van de woningen, door de plantsoenen en door sporthal Tsjemigov. Ze snuffelden in alle hoeken en liepen dan de trappen op. En aangezien er geen deuren waren omdat die waren meegenomen, liepen ze overal binnen. Magere, met modder besmeurde honden, sommige met ontvelde en bloedende poten.

Het was bij de botsauto's dat het gebeurde. De man van Prypjat had een systeem uitgedokterd waardoor het leek of de autootjes uit zichzelf bewogen, om daarna te roepen: welkom elektriciteit, leve het leven, laat het terugkeren, het ergste hebben we al gehad. Hij had katrollen meegenomen uit een magazijn en meters touw, hij wou de omstandigheid benutten dat het gevroren had en de baan glad was. Hij sloeg de touwen achter de reling langs en maakte de uiteinden vast aan het stuur van elke botsauto.

Hij sloeg zijn ogen ten hemel en bedacht dat daar helemaal geen behoefte aan bestond. Maar wel aan iemand in Prypjat die de omwenteling zou zien die op het punt stond zich te voltrekken.

Met alle kracht greep hij de touwen vast, telde een, twee, drie en trok. En de botsautootjes bewogen. Het rechtse, met nummer 5 op de motorkap, had tien meter afgelegd. Dat van hem bewoog diagonaal naar opzij, tot een van de scheuren in het cement. Dat was zijn boodschap: Zjmychov, je bent niet langer alleen.

Of als er hier nog iemand anders woont, dat die het dan weet: er is een nieuwe bewoner gearriveerd in de stad Prypjat, bij de atoomcentrale.

Het enige wat eraan ontbrak was dat de lichten aan zouden gaan. Vrolijke, eigentijdse muziek, mooie kermisliedjes en jongeren die op de omloop met een fiche in de hand op hun beurt wachtten. De sirene klinkt: laat een verse ploeg chauffeurs de baan op gaan.

Ja, nu kon je zeggen dat er iemand in de stad Prypjat woont en het bewijs is dat vier van de botsautootjes hadden bewogen. Om zichzelf kenbaar te maken sloeg hij 's morgens soms met een stok tegen de metalen rolluiken. Of hij liet, in stenen geschreven, zijn naam achter op de kruispunten van de straten. Wat kan ik nog meer doen, riep hij, want ik heb twee handen, ik neem ruimte in, ik loop lanen af, ik laat sporen achter bij het lopen.

Dat wil zeggen, er zijn bewijzen, kijk naar me en als je me niet gelooft, kijk dan naar deze botsautootjes, hoe ze er vijf minuten geleden bij stonden en hoe ze nu staan. Uit zichzelf bewegen, dat kunnen ze nog altijd niet.

Hij wou dat er publiek was, al waren het maar zogenaamde

toeschouwers, en hij zocht de plek waar vóór het ongeluk een winkel moest hebben gestaan, in de Droezjby Narodovstraat. Hij trapte op brokken puin, overal woekerden klimplanten. Hij pakte twintig zakken. Ze lagen in een la, maar in de loop van de tijd zouden er meer verdwijnen, dus nam hij maar twintig zakken formaat draagtas.

Hij keerde terug via een open plek waar enkele verlaten autobussen stonden, de Icarussen van de evacuatie. Onderweg plukte hij allerlei onkruid, waarmee hij de zakken vulde. Zolang er geen anderen zijn, zei hij, zijn dit mijn vrienden en bekenden.

Hij stelde ze op rond de racebaan en bond ze vast aan de reling, het leken de gezichten van het publiek, familieleden die over de Ivankovosnelweg waren gekomen om hem een botsautootje te zien besturen. Hij had er lichamen van takken aan willen vastmaken, een overjas of een deken erover, als je van ver keek leken het mensen.

Intussen wachtten de gezichten op hun beurt om te rijden. Maar jullie zullen nog even moeten wachten, we hebben alle tijd van de wereld om de baan op te gaan, teken sierlijk jullie duizenden filigreintjes totdat het ijs verdwenen is, kijk eens hoe goed ik de kunst van het sturen beheers. Hij stond op en applaudisseerde.

Kijk goed naar me, gezichten.

Zo wijdde hij zijn geweldige nieuwe leven in. Hij bleef even in een van de autootjes zitten, stel dat een van die gezichten het van hem wilde afpakken met het idee dat het zijn beurt was. Ademhalen kostte veel moeite, ze zeggen dat je tong uiteindelijk zwart wordt. En dat de huid loslaat en dat je begint over te geven. Of dat je geel speeksel spuugt. Ze zeggen zo veel, dus je kunt nooit weten.

Maar het was zaak te wennen, want in Prypjat leven had zijn voordelen, zoals dat alles daar van hem was, bij ontstentenis van anderen was hij de eigenaar, de baas van het *gorkom*, de zetel van het stadscomité.

Door zo hard aan de touwen te trekken waren zijn handen paars geworden. Hij nam het stuur van het botsautootje in zijn handen en verbeeldde zich dat hij op reis was. Dat hij de voetgangers uiterst hoffelijk groette. Maar houd me niet langer op, want ik word in de centrale verwacht om een aantal berekeningen te maken.

Hij reed door de velden, voerde de snelheid van het botsautootje op tot honderd kilometer per uur. Hij kwam door nabijgelegen dorpen zoals Semichody, Sjepelitsji en andere. Met luide stem vroeg hij of er misschien iemand was, wellicht verscheen er een weduwe met een scapulier en met de foto van haar overledene, het haar bijeengehouden met een hoofddoek. Ik heb brood bij me en nieuws, zei de man haar. Het belangrijkste nieuws is dat u niet hier kunt blijven, dit hier ligt midden in de uitsluitingszone en heel binnenkort komen de soldaten met hun hijskranen het dorp begraven, het verbaast me dat ze het nog niet hebben gedaan. Maar als u blijft, ga dan niet het bos in, pluk geen paddenstoelen, drink geen water uit de putten.

Ja, het begon allemaal in de botsautootjes. Want een paar dagen later ging hij weer aan de touwen trekken om ze opnieuw van positie te veranderen, en toen zag hij dat een van de zakken van de reling was verdwenen. Hij had ze namen gegeven: mijn heerlijke Ilsa, totale en ultieme liefde, Aleksej, Volodja. Die zak noem ik Valentina Maljavskaja, die andere Zjmychov van Anorganische Chemie van het laboratorium in Sosny. Die kleine Darja. En zo tot twintig. En nu waren er negentien.

Hij zocht hem bij het reuzenrad, bij de schommels. Hij ging tot aan de banken aan de achterkant van het park. Hij liep om de baan heen, waar ben je, zei hij, ik weet niet of ik je zak of gezicht moet noemen. Laat me mijn tijd niet verliezen, want ik zal je hoe dan ook vinden. Uiteindelijk lag hij op de zitting van een van de autootjes, samen met een handjevol Kosmossnoepjes.

Iemand had er ogen en een mond op getekend.

Hij schrok zo erg dat hij zich in de cabine ging verstoppen. De man van Prypjat dook weg onder een paar dekens. Hij zag niemand door de kier van de deur en hij bleef lange tijd kijken.

De volgende ochtend vroeg kwamen we bijeen met de landenvertegenwoordigers die deelnamen aan de toetsing van het kilogewicht, daarvoor was ik in Parijs. De Internationale Conferentie voor Gewichten en Maten was de gastheer. Een welkomstontbijt en de bekende toespraak over het belang van ons werk door Roland Jöhri, voorzitter van de conferentie. Daarna werd er overgegaan tot de inname en vaststelling van het exacte gewicht van elke cilinder, zodat we vervolgens in de regio's onder onze jurisdictie konden verklaren dat een kilo exact een kilo was. Een uitdrukkelijke en eerlijke kilo. De officiële kilo.

De weegtoestellen waren tot op de duizendste fractie exact, want de geringste afwijking van het gewicht kon in industriële of agrarische processen een ramp betekenen. Ten slotte werd je een stel oranjekleurige, verzegelde en geplastificeerde documenten uitgereikt en daarmee keerde je terug naar je eigen land.

De deelnemers van de andere zes maten van de conferentie werden in successievelijke vergaderingen bijeengeroepen. De Mol, de Kelvin, de Ampère en de rest. Die dag was het de beurt aan de Kilo. Maar de vergaderzaal van de centrale in Sèvres, in Boulogne-Billancourt, werd verbouwd en we werden allemaal met een bus naar een nabijgelegen gebouw vervoerd, zo'n vijftig functionarissen met eenzelfde koffertje met daarin het gewicht van exact een kilo.

Ik droeg echter twee cilinders. Dat komt doordat de Filipijnen in 1896, juist toen de gehomologeerde kilo naar Manila gestuurd zou worden, ophielden een kolonie te zijn en de Spaanse autoriteiten besloten, aangezien die cilinder van hen was, hem te houden. Zodoende was Spanje het enige land dat officieel twee kilogewichten had en ik die, als zijn vertegenwoordiger, meezeulde net zoals mijn ambtsvoorgangers hadden gedaan. Het dubbele gewicht, de dubbele vermoeidheid, maar hetzelfde salaris als de andere afgevaardigden. Mijn werk riep respect op onder degenen die aanspraak maakten op mijn diensten.

Daar komt meneer exact. De man die nooit liegt. Daar komt Twee Kilo, zo werd ik genoemd.

Ik vond het wel grappig, maar probeerde het niet serieus te nemen.

Ik praatte met de vertegenwoordiger van België, en ook met de Russische Jana Ledneva, die bij de Sectie Mol hoorde en er die dag dus niet hoefde te zijn maar er wel was. Ik sprak met Montignoso, met Peter Becker van het Duits Federaal Kalibratielaboratorium en met Carolina Pompeo.

Zodra de certificaten aan het einde van de ochtend waren uitgereikt, nam ik afscheid. Ik bleef niet voor de lunch noch voor de middagsessie, en dat terwijl Jana Ledneva er sterk op aandrong. Maar nee, ik had nog iets anders te doen.

Toen ik naar buiten ging, de frisse lucht in, en over de Avenue La Motte-Piquet terugliep naar het hotel, moest ik alsmaar denken aan de Overlevenden van de Lusitania, zoals ik dat de hele morgen al had gedaan. Daarom was ik niet gebleven.

Ik dacht aan de man, die ze wellicht hadden achtergelaten in de selfservice, precies zoals ik hem ook aan zijn lot had overgelaten. Hoewel dat ook niet helemaal waar was, zou je kunnen nuanceren, want voordat zij wegging had de vrouw de consideratie gehad hem uit te nodigen ergens te gaan eten waar het eten gemakkelijk te kauwen was en waarvan ze bovendien wist dat er onvermijdelijk iemand zou zijn die hem te hulp zou schieten, wat iets heel anders is dan hem thuis in de steek te laten totdat hij volledig tot ontbinding was overgegaan. En ik? Ik had een ober gewaarschuwd hem onder zijn hoede te nemen.

Ik reisde per auto, dus ik had geen concreet tijdschema om naar Spanje terug te keren. Ik reed daarom met mijn koffertje van twee kilo langs het zelfbedieningsrestaurant om te kijken wat er met die man was gebeurd en of ik als getuige moest optreden.

Ik liep de trap op naar het restaurant, maar natuurlijk was hij daar niet, hoe zou hij ook, je kon wel zien dat ik weinig doordacht te werk ging. Ook de twee tassen met kleding zag ik niet. Geen spoor, kortom, dat daar de vorige dag iemand was achtergelaten. De wereld vernieuwt zich elk moment. Wat afgedaan heeft verdwijnt intussen zonder dat we weten waarheen. Ik ging alweer weg toen ik dezelfde bediende van de vorige dag zag, ik herkende hem aan de fantasiebril met paars montuur die hij op had. Herinnert u zich mij nog? Hij keek me aan met die nietszeggende blik van hem. En herinnert u zich een oude man die gisteren daar aan dat tafeltje zat, vroeg ik hem terwijl ik hem de exacte plek aanwees. Die herinner ik me, zei hij.

Wat is er uiteindelijk gebeurd?

Een ogenblik, want hij zou de gerant halen, de heer Parveaux. Hij liep gehaast naar het kantoor van het restaurant en verdween door een deur. Ik bleef wachten, ik had hem slechts een eenvoudig te beantwoorden vraag gesteld. De deur ging open, iemand stak zijn hoofd om de hoek, bekeek me en ging weer naar binnen. Een ogenblijk later stond meneer Parveaux naast me, zich gedienstig verontschuldigend dat hij mij had laten wachten.

Ik wilde alleen informeren naar die man, burgernieuwsgierigheid, niet meer dan dat, want gisteren had ik gezien dat hij alleen was achtergebleven en ik voel iets hier, midden op mijn borst.

De heer Parveaux begreep het.

Maar natuurlijk, hierheen alstublieft.

Hij drong erop aan hem naar zijn kantoor te vergezellen, pakte mij bij mijn arm, hield me vast, zo zou je het bijna kunnen interpreteren. Ik vond het prettig dat hij me zo dringend nodig had en, eerlijk gezegd, haast had ik eigenlijk niet.

Die oude man. Zo hulpbehoevend, hij zakte steeds verder opzij totdat hij bijna op de grond viel. En de tassen met kleding, wat is daarmee gebeurd, meneer Parveaux? Maar eerst verzocht de heer Parveaux mij een beknopte vragenlijst in te vullen over de kwaliteit van de geboden service in het restaurant. In ruil daarvoor schonk hij me een paar waardebonnen die goed waren voor een tiental maaltijden.

Het was zaak die vriendelijke meneer Parveaux niet te beledigen, dus zette ik het koffertje op de grond en ging zitten om de lijst in te vullen. Ik moest om een balpen vragen, want de mijne, bedacht ik toen, had de man gehouden naar wie ik was komen informeren.

U krijgt er meer dan een, zei Parveaux, cadeau van het restaurant. Toen ik bij de elfde vraag was aanbeland, of de accommodatie schoon was, waarbij ik twijfelde of ik het hokje voldoende of zeer voldoende zou aankruisen, werd er op de deur geklopt en zonder te wachten tot Parveaux vroeg wie er was, kwamen er twee gendarmes binnen. Hier is hij, zei hij, terwijl hij zich terugtrok in een hoek van het kantoor waar hij zich veiliger leek te voelen. Hij wees naar mij: Dat is hem, zei hij.

De gendarmes wilden mijn naam weten, die ik hun vertelde. Gaat u mee.

Ik houd er niet van anderen tegen te werken, gewoonlijk vind ik daar geen reden voor, dus ik ging onmiddellijk akkoord. Een van de gendarmes zei dat ze me alles bij Le SAMU Social, zoals de Franse Sociale Dienst wordt genoemd, zouden uitleggen. En nu uw mond houden en meekomen. Ze zouden me geen boeien omdoen tenzij ik het ze moeilijk ging maken.

Kijk me aan, zei ik ze, en u zult zien dat daar geen behoefte aan zal zijn.

CBLB502 is de naam van een geneesmiddel dat doctor Andrej V. Goedkov bij de muizen en apen van het Lerner Instituut in Cleveland, Ohio, inspuit waardoor de apoptose wordt vertraagd en ze later sterven wanneer ze aan hoge doses ioniserende straling worden blootgesteld.

In april 2008 publiceerde het tijdschrift *Science* de resultaten van de onderzoeken van de doctoren Andrej V. Goedkov, Ljoedmila Boerdelja, Anatoli Gleibermann, Damodar Goepta en anderen met betrekking tot CBLB502.

De muizen en apen die tussen de 45 minuten en 24 uur voor ze aan dodelijke doses straling werden onderworpen, waren behandeld, aldus Goedkov, hadden de neiging te overleven of stierven later dan de andere.

Het CBLB502 belemmert het proces van celsuïcide.

De man van Prypjat had de plunderaars de motoren uit de opslag-plaats van Rossocha zien meenemen. Omdat hij geen camera had en toch een bewijs wilde hebben, tekende hij ze in een schriftje. Met hijskranen laadden ze het schroot op. Onderdelen, sleepma-chines, helikopters. Ver van de verboden zone waren de wielen van Volga's ook erg gewild.

Het waren acht mannen en ze vormden twee patrouilles. Ze kwamen Prypjat binnen en namen zelfs de tegels uit de badka-mers mee. Kleding, de deuren van de woningen. Ze trokken de stopcontacten uit de muren, die raakten ze gemakkelijk kwijt op markten in Kiev.

Een zekere Chvorost was de leider. Hij ging goed gekleed, geen soldatenjack of laarzen. Hij had stijl.

Op een avond liep de man van de botsautootjes van Prypjat hen tegemoet en spreidde zijn armen om ze te laten zien dat hij geen kwaad in de zin had. In het begin lieten de mannen van Chvorost hem niet dichterbij komen. Ben je een dode? Ze bedreigden hem met stokken. Als je dichterbij komt, vraag je er zelf om.

Om ze te laten merken dat hij wel degelijk levend was, droeg hij hun het gedicht *Het Kremlin in de storm van eind 1918* van Boris Pasternak voor, en binnen vijf minuten hadden ze een overeenkomst gesloten: hij zou een kruis zetten op de deur van de gebouwen waar voor hen iets van belang te vinden was. De verdieping, de letter. En zo hoefden Chvorost en de zijnen niet zo veel tijd te verliezen met zoeken. In ruil daarvoor vroeg hij hun vlees, groente en fruit mee te brengen.

Hoewel, als het kon of ze hem dan bij hen in de vrachtwagen konden laten stappen en hem daar weg wilden halen.

Dat niet, zei Chvorost, en hij sloeg de revers van zijn leren jack op. Bij de slagboom zat een brigadier die hen telde, brigadier Blazoetski. En wanneer acht mannen het gebied hadden betreden dan moesten acht mannen het gebied verlaten, de verordeningen waren overduidelijk. Straks kwam er een doorzoeking. En een passende maatregel tegen ieder van hen. Over een tijdje misschien.

De mannen van Chvorost begonnen ten slotte bij de Lesja

Oekrainka, dat leek de meest veelbelovende straat, hoewel dat slechts een gevoel was. Elke andere straat kon even goed zijn. Of even dodelijk. Daarna volgden ze een plattegrond. De Helden van Stalingradstraat, het Paleis van de Pioniers, hotel Oktober. De Straat van de Bevlogenen.

Ze kwamen over de weg van Semichody. Acht mannen, soms een enkele meer als versterking. Het waren niet altijd dezelfde maar ze vormden ploegen, ze ondergingen een schoneluchtkuur voordat ze terugkeerden naar Prypjat. Iedere strooptocht door de stad kwam overeen met drie of vier dagen rust. Sommigen droegen rubberen regenjacks. Het schijnt dat hen dat beschermde tegen de straling die het plaatwerk van de vrachtauto absorbeerde.

Dat hij een gelukzalige geest moest zijn, zeiden ze, een engel of een aartsengel.

Ze lachten. Ze vroegen hem hun te laten zien of zijn tong zwart was en ze lachten nog harder. En, waar kom je vandaan, vroegen ze hem.

Uit Krasny Koet, in de streek van Loeganskaja.

Harder praten.

Krasny Koet.

Ze kwamen nooit dichterbij, deels omdat ze te veel haast hadden. Daarom had hij de weg voor ze uitgetekend, zodat ze geen tijd zouden verliezen met lukraak zoeken. Dat was de basis van hun overeenkomst. Ze waren er een paar uur, laadden hun vrachtwagen vol en weg waren ze. Wanneer het regende kwamen ze niet. Ze zeiden dat het natte cement stonk, dat het gras tegen het licht in soms een paarse of blauwe gloed had, afhankelijk van hoe je ernaar keek.

De mannen van Chvorost brachten hem plakken vlees, hoewel hij niet wist van wat voor dier noch van welk abattoir het kon zijn, of dat het geschoten wild was, of misschien aangereden op een van de autowegen. Ze gaven hem ook een snoek, zeiden dat ze die zelf hadden gevangen in een vijver buiten Gomel.

Totdat ze niet meer kwamen. De man van de botsautootjes ging in de greppel langs de weg naar Semichody op ze zitten wachten.

Met zijn twee overjassen tot boven aan toe dichtgeknoopt zat hij daar hele avonden.

Je gaat dood, zei hij tegen zichzelf. Tenzij je in de winkels eten gaat zoeken. Er moeten conserven zijn, koekjes. In de Svetljatsjok vond hij blikken vis uit de Oostzee. Een week lang at hij vis uit de Oostzee. Hij plantte zaadjes van sperziebonen in een park, maar er kwam niets op. De aarde was dood. De mannen van de vrachtwagen wisten waarover ze het hadden als ze na twee uur zeiden dat ze ervandoor moesten.

Maar ze kwamen terug. En de man van Prypjat vloog de cabine van de botsautootjes uit, ging naar de vrachtwagen en vroeg hun wat er was gebeurd. Zij antwoordden niet, deden niet eens de raampjes naar beneden, ze deden of ze hem niet hadden gezien. Oké, mij om het even, ik wilde alleen ons partnerschap weer oppakken. Maar de mannen van Chvorost negeerden hem. We hebben je al gezegd dat je niet dichterbij moet komen. En ze bedreigden hem met een ijzeren staaf, heb je het gehoord. Die avond gingen ze rechtstreeks naar de keukenfabriek. Ze bleven er ongeveer drie uur en namen alles mee, zelfs de raamkozijnen. En mijn eten, vroeg hij. Wat voor eten.

Valeri Kebikov, de secondant van Chvorost, zei hem dat ze niet nog meer matrassen wilden, alsmaar matrassen. Ga de woningen binnen, licht de tegels op om te zien of er geld onder ligt. Hij was niet de enige aan wie ze het konden vragen.

Want onlangs zagen we een echtpaar door de goten van het Paviljoen van de Technische Vooruitgang lopen, op zoek naar wormen, om ze op te eten.

Dan is er nog de zanger van het filmtheater Prometheus. En ze vertelden me dat er vroeger een vrouw met twee kinderen aan de Droezjby Narodovstraat woonde.

Steeds meer mensen keerden terug naar hun huis. Ze raakten de angst voor het atoom kwijt. Hoewel ze eigenlijk terugkeerden omdat ze hen nergens anders wilden hebben.

Er waren ook soldaten. Ze trokken de schuurtjes omver en begroeven ze verpakt in plastic. Ze zeiden dat het daarmee afgelopen was met de ellende. En en passant ook met de plunderingen. Maar waarom, vroeg Chvorost, die Kebikov opdracht had gegeven de vrachtwagen te starten, waarom, als wij ook familie hebben en recht op een menswaardig leven. Of tenminste op leven.

En hij duwde zijn zonnebril tot op zijn voorhoofd en liet een paar melancholische ogen zien. Vervolgens begon hij in de zakken van zijn jack naar tabak te zoeken, stak een sigaret op en keek naar de grond.

Opschieten dus, je kunt maar beter iets goeds vinden of het is afgelopen met de proviand.

Wat dan ook, zei de man van Prypjat, als ik maar niet meer terug hoef naar de blikken vis uit de Oostzee, dat was erg slechte vis.

Ze namen me mee in een burgerauto van het wagenpark dat onder commando stond van Sarkozy. Een overheidsauto. Ik zat op de achterbank met de armen om mijn koffertje geslagen en gedurende de hele rit weigerden de gendarmes een woord met me te wisselen. Naar ze zeiden mochten ze niet met arrestanten praten. Ik vroeg alleen naar het waarom, zij herhaalden dat ik mijn mond moest houden. Terwijl we door Parijs reden wilde ik niet proberen of de sloten van de auto gezekerd waren, want ik was niet van plan te ontsnappen door uit de rijdende auto te springen. Ik ben niet van het soort mensen dat overal met zijn vingers aan zit. Als ze me zeggen te zwijgen dan zwijg ik. Als ik me rustig moet houden dan houd ik me rustig. En dat was het wat ik deed, ik probeerde zo weinig mogelijk ruimte in beslag te nemen op mijn bank en, in het algemeen, in dit Frankrijk dat me nu minder dan middelmatig voorkwam.

We arriveerden bij een gebouw. Ik zag geen naambordje op de deur en ook geen plaquette die meedeelde dat het gebouw een officiële instantie huisvestte. Niemand om me te begroeten. Conciërges noch bewakers die mij ontvingen. We doorkruisten gangen, liepen door achteraf gelegen tuinen, gingen een paar trappen op. Ze namen me mee naar een in het halfduister gehulde kamer en zeiden me daar te wachten.

Tussen vier muren. Misschien wilden ze me bang maken, het overbekende procedé iemand te isoleren. Na vijf minuten kwam er echter een vrouw binnen. Ze had een map en een paar balpennen bij zich, wellicht verwachtte ze dat de een na de ander op zou raken. Aan haar revers hing een identiteitsbadge van de Franse Sociale Dienst, Le SAMU. Haar naam, Solange Gaillard. Ze groette zonder me aan te kijken, zei dat ik moest gaan zitten, daarvoor stonden er stoelen. En een tafel met ronde hoeken, in de vloer verankerd, net zoals de stoelen. Ze nam de gegevens van mijn identiteitsbewijs over, nationaliteit, huisadres. En ze waarschuwde me dat met behulp van Interpol gecontroleerd zou worden of datgene wat ik verklaarde, klopte. Daarna zette ik mijn vingerafdrukken op een helderblauw bedrukte kaart.

We hebben hem, mompelde ze.

Solange Gaillard moet gedacht hebben dat ik ongevaarlijk was. Daar deed ze goed aan, want we waren de hele tijd alleen zonder dat er bewaking nodig was, en er gebeurde niets.

Vertel me wat u te vertellen heeft. De motieven niet, die interesseren me niet.

Ik wilde meewerken, dus sprak ik over de jaarlijkse conferentie van het Kilogewicht. Dat is wat ik in dat koffertje heb, zei ik. Nou ja, in mijn geval, lichtte ik toe zodat ze me niet voor een bedrieger zou houden, had ik twee kilo's bij me. Dat is de pure waarheid. En ik vertelde haar van Manila, 1896. Ik was de enige afgevaardigde die twee kilo's bij zich had. Vandaar mijn bijnaam: Twee Kilo.

En u heeft uw reis aangegrepen, onderbrak ze me, om een arme man duizend kilometer ver van huis in een restaurant achter te laten. Over wie ik het heb? Dat is juist waar we bij deze Sociale Dienst achter proberen te komen, want we hebben geen papieren op hem gevonden. Alleen deze bedrijfsbalpen, die lijkt van u te zijn. Er staat het embleem Maten en Gewichten van Spanje op. Kijk maar, of vergis ik me.

Solange Gaillard vergiste zich niet.

Aangezien hij niet praat, ging ze verder, dachten we aanvankelijk dat hij niets wilde zeggen. Het is normaal dat ze het niet direct accepteren, ze schamen zich om in zoiets verzeild te raken. De dokter is met de analyses gekomen en toen hebben we sporen van tranquillizers gevonden. Hoe zou hij moeten praten als hij het niet kan? Hoeveel pillen heeft u in hem gepropt, meneer, een hele pot, twee?

Nee zeggen, dat ik er niets mee te maken had en dat ik opstapte, leek me zo'n armzalige verdediging dat ik liever niks zei.

Trouwens, voegde Solange Gaillard eraan toe, en ze deed haar ring af en begon hem in een soort wedstrijdjes over de tafel te laten rollen, u denkt toch niet dat wij hem hier houden. We hebben al genoeg aan onze eigen gevallen om ons ook nog die uit Spanje te laten bezorgen.

Ik moest mijn blik afwenden. Ik vroeg haar of ze soms dacht dat het mijn vader was, maar dat mijn vader was overleden, en al jaren terug.

Als u hem meeneemt, zei Solange Gaillard, is het probleem opgelost. En is er van pillen geen sprake geweest en verscheur ik zelfs meteen deze papieren, en ze maakte aanstalten. Zo niet, zegt u het me. Zegt u het me zodat ik met de formaliteiten kan beginnen. Dat kan ambtshalve, zo is de Franse wet. Kent u een advocaat in Frankrijk?

Na een minuut waarin geen van beiden iets tegen de ander zei, stond ze op en beval mij haar te volgen. We gingen naar een ander vertrek aan het einde van een gang zonder ramen. Solange Gaillard opende de deur en daar zat de Overlevende van de Lusitania in een rolstoel, die, toen hij mij zag, een onmogelijk te duiden gebaar maakte. De verpleegster die hem vergezelde, vond het echter grappig om te zeggen: Kijk nou eens, hij herkent u, hij is helemaal uitgelaten.

We laten u nu een momentje alleen, zei Solange Gaillard. We komen straks terug.

We hadden elkaar bepaald weinig te zeggen, die Overlevende van de Lusitania en ik. Hij omdat hij niet sprak en ik omdat ik hem niet kende, behalve van de onbetekenende hulp die ik hem de voorgaande dag in het zelfbedieningsrestaurant had geboden door hem overeind te zetten toen hij dreigde om te vallen en door vervolgens een bediende te waarschuwen. Ieder ander had hetzelfde gedaan. Dus bleven we tegenover elkaar zitten zonder elkaar iets te zeggen. Maar tien minuten in die kamer misten hun uitwerking uit. Uiteindelijk vroeg ik hem of het waar was dat ze hem hadden achtergelaten.

Ik wilde weten wie het gedaan had.

Ik leunde tegen de muur en ik zei hem, met luide stem zodat ze me aan de andere kant van de deur konden verstaan: was het die vrouw die bij u was?

Vertel hun haar naam en ze vinden haar wel.

En vertel die Solange Gaillard dat wij elkaar niet kennen. Toe nou, vertel het haar.

Hij hief zijn armen naar mij op. Misschien wilde hij me iets in het oor fluisteren. Ik kwam dichterbij, bukte me naast hem en merkte toen dat hij me wilde omhelzen. Ik hield hem niet tegen, want ik weet wanneer iemand er slecht aan toe is, ook al zegt hij het niet. Ik rook zijn schrale adem en streelde onbeschroomd zijn hand. Alsof ze ons door een of ander gaatje hadden staan observeren, kwamen op dat moment de verpleegster en Solange Gaillard binnen in gezelschap van een gendarme die foto's begon te nemen. En? Het ziet ernaar uit dat u het weer heeft bijgelegd? Ziet u wel dat alles een oplossing heeft?

De man van de botsautootjes van Prypjat ging het Prometheus binnen. Hij ging voor een van de grote ramen van de hal zijn vorige leven zitten overdenken toen hij hem zag. Hij kwam zingend aangelopen. Hij droeg een anorak van Sapporo 72 en een *papacha* met oorwarmers.

De man van de botsautootjes rende weg om zich te verstoppen. Gehurkt achter een rij stoelen meende hij de nieuwkomer een militaire mars te horen inzetten. Toen zag hij hem de zaal binnenkomen. Hij beklom het podium en trok zijn anorak uit, wat was hij mager. Hij hoorde hem bedanken, voor u hier: de grote Lavrenti Bachtiarov. Misschien was het de behoefte af en toe een stem te horen, al was het die van hemzelf. De akoestiek van de zaal moest hem bevallen. Een poosje stond hij vaderlandslievende volksliedjes uit de streek van Minsk te zingen. Toen liedjes van Sofja Rotaroe, van Zikina. Hij vertolkte *Velvet Mornings* van Demis Roussos. Het filmtheater Prometheus was het Bolsjoj van Moskou.

De man van de botsautootjes leunde tegen een stoel, de rugleuning schoot los en viel op de grond, en Lavrenti Bachtiarov hoorde het. Wie is daar. Ik doe je niks. Hij kwam het podium af, zijn stappen weerklonken door het Prometheus, in de middengang hadden de lekkages plassen gevormd, maar het kon hem niet schelen daar in te trappen, want hij wilde weten of er iemand was. Toen hij bij de gevallen stoelleuning kwam en ze elkaar al bijna aan konden raken, kwam de man van de botsautootjes overeind en zette het op een lopen. Er lagen brokstukken kalk op de vloer, hij stapte mis en viel. Ga niet naar buiten, zei Bachtiarov, daar zijn honden. Als u het niet gelooft, kijk dan door dat raam.

Altijd wanneer ik zing, komen er honden, daarom heb ik de deur met een balk gebarricadeerd.

Woont u in de stad of bent u gekomen om iets mee te nemen?

Voor hetzelfde geld is die Volkswagen die verbrand is, van u. Fantastische motor, 't is jammer.

Lavrenti Bachtiarov hielp de man van de botsautootjes overeind te komen, hij fatsoeneerde zijn overjas, kijk nou eens, u heeft er nog een onder, zei hij.

Aangezien hij geen antwoord kreeg en bovendien zijn eigen stem graag hoorde, maakte hij gebruik van de stilte om hem te vertellen dat hij op de begane grond van het Polesje woonde. Er waren nog matrassen op de derde verdieping, hij zei het maar voor het geval hij er een wilde.

Heeft u de toeristen niet gezien? Ze betalen vierhonderd dollar per dag. Wanneer ze aankomen, ga ik een wandelingetje maken alsof ik hier normaal leef, ik heb zelfs handtekeningen gegeven. De gids is de jonge Jevgeni Brovkin. Hij leidt ze altijd door dezelfde straten. Soms brengt hij me een pan gekookte aardappels als betaling, zodat ik me laat zien, hij zegt dat hij daar beter door boert.

Hoewel hij me ook zegt dat ik uit Prypjat zou moeten vertrekken. Maar waarheen als ik hier een hele stad tot mijn beschikking heb? Dat kunnen maar weinigen zeggen. En dan is er Jekatarina nog.

Lavrenti Bachtiarov genoot van gezelschap. En hij trok telkens de ritssluiting van zijn anorak omhoog en omlaag. Hij nam de man van de botsautootjes bij de arm en leidde hem naar de stoelenrij achteraan, beter beschermd tegen de tocht. Daar gingen ze beide zitten.

U bent niet zo'n prater, hè?

Heeft u trouwens in het park een hoop aarde met een kruis gezien? Dat is Jekatarina namelijk, mijn vrouw.

Toen het ongeluk plaatshad, vervolgde hij, heeft niemand ons geïnformeerd wat er was gebeurd. Op een zondag verschenen er patrouilles soldaten met geigertellers. Toen waren er de evacuatiebussen, allemaal in een rij, met draaiende motoren. Door de luidsprekers werd omgeroepen: kleding en toiletartikelen meenemen, de Ongunstige Radiologische Situatie zal spoedig worden opgelost.

Dus rende ik om Jekatarina te halen. Ze was groepsleidster en had met een groepje pioniers in het Rode Bos gekampeerd. Rood, want later kreeg het die kleur, door de straling. Hoewel het toen niet zo heette. Het had geen concrete naam. Het bos, alleen maar.

Anastasia Kozarev, zei hij alsof hij reciteerde, Vladislav Ivanovitsj. Ik ken de lijst uit mijn hoofd: Roeslan Garetsjkin, een atleet bijna, Aleksej, pas aangekomen uit het dorp Nisimkovitsji. Allemaal dood binnen een paar dagen.

En de benen van Jekatarina zwollen op, de dode huid liet los en daaronder was het bruin. En het stonk.

Toen wilden ze me het lichaam niet geven. Ik diende een protest in en ten slotte zeiden ze dat ik haar meteen moest begraven, zonder wake. En niks geen omhelzingen, hoe minder ik haar aanraakte hoe beter, zij had geen aandacht meer nodig.

Daarna heb ik jarenlang in andere republieken gewerkt. De staalindustrie, transport. En nu ben ik oud en ik ben teruggekomen. Wat vindt u daarvan? Ik heb niks meer te verliezen en zo slecht is het ook niet in Prypjat. Het enige is dat je er doodgaat, maar je gaat overal dood.

Lavrenti Bachtiarov legde zijn voeten op de stoelleuning voor hem, alsof hij de eigenaar van het Prometheus was. Toen de man van de botsautootjes dat zag, deed hij hetzelfde. De twee hadden het zo best naar hun zin.

Ik slaap in het Polesje, ging Lavrenti Bachtiarov verder, dus vanuit het raam zie ik de hoop aarde waar Jekatarina onder ligt, het moet mij niet gebeuren dat die wilde honden haar meenemen. Wie zorgt daarvoor wanneer ik doodga? U, meneer, wilt u dat op u nemen?

In ruil daarvoor vertel ik u waar ik onlangs een geweldige fiets heb gevonden, u houdt misschien van fietsen, ik kan het niet. Ziet u die straat daar, zei hij terwijl hij naar de ramen wees. Hij heeft een dynamo, voor het geval u 's avonds wilt fietsen.

Maar pas op de honden, ze lopen in hordes en hebben geen ontzag voor de mensen. De soldaten schoten erop, ik heb ook groepjes jagers gezien van de Ontspanningsvereniging van Chojniki. Ze doodden katten en koeien, ik denk dat ze dat deden voor de volksgezondheid van de Sovjet-Unie en voor de hygiëne.

En pas ook op Chvorost, pasgeleden zag ik jullie met elkaar praten.

Lavrenti Bachtiarov zweeg. Hoewel hij geen horloge droeg, maakte hij een gebaar alsof hij op zijn pols keek hoe laat het was. Ik ben een goed mens, zei hij. En op de vraag of hij Kosmossnoepjes had zei hij nee, want wat dat dan was, Kosmossnoepjes. De man van de botsautootjes sloeg zijn armen over elkaar zei: Nee, niks.

De Overlevende van de Lusitania en ik stapten in een taxi die tot voor de deur van de Sociale Dienst reed om ons op te halen. Ik droeg het koffertje met de twee kilo's, en bovendien was er de oude man zodat ik de twee tassen met kleding er niet bij kon nemen, dus bood Solange Gaillard aan om ze naar de Quai de Grenelle 61 te sturen, het adres van mijn hotel. Toen we al weg zouden rijden liet ze me het raampje omlaag draaien om me te zeggen dat ik hem niet nog eens moest achterlaten, ze hadden nu de vingerafdrukken van die man op dezelfde kaart als de mijne.

Opnieuw reed ik door Parijs, alleen was het nu naast een individu dat ik niet kende en voor wie ik, naar ik veronderstelde, in de toekomst moest gaan zorgen. Ik bekeek hem vanuit mijn ooghoeken en ik zag dat hij zijn hand bewoog op de maat van de muziek van de radio, een zender van evergreens. Af en toe wendde hij zich naar mij en glimlachte.

Gedurende de rit naar het hotel kon ik geen aanwijzingen vinden dat hetgeen mij overkwam verbeelding was. Want het gebeurt soms dat je droomt, of dat je je mogelijkerwijs iets inbeeldt.

In de foyer hielp ik hem de toegangstrap op. We liepen langzaam, want ik merkte dat hij niet in staat was anders te lopen. Om de paar stappen stond hij stil om om zich heen te kijken, dan keek hij mij aan en glimlachte opnieuw naar mij, zoals in de taxi. En ik naar hem, waarom niet. Hij moet het geweldig gevonden hebben in de lobby van het hotel, de vitrine met overhemden en accessoires van Hugo Boss. De overdadige halogeenverlichting.

Ik ging de sleutel ophalen, liep naar de receptionist en gaf hem mijn kamernummer.

Het werd tijd, hoorde ik iemand achter me zeggen.

Ik draaide me om, wat een verrassing. Het was Montignoso, de Italiaanse afgevaardigde op de conferentie. Hij was in gezelschap van Jana Ledneva van de Sectie Mol, en een zekere Salcedo uit Mexico. Allemaal heel sympathiek, maar wat deden ze daar, vroeg ik ze.

Bij de receptie zeiden ze dat je nog ingeschreven stond, zei Montignoso, dus hebben we hier op je gewacht. Luister, het gaat over Jöhri. Het gebeurde op het laatste moment. Aangezien je al weg was, bleef ons niets anders over dan het hotel, dus zeiden we laten we snel gaan.

Montignoso keek naar de man van de Lusitania en zei, ah, kijk, dat wist ik niet.

Ik wachtte in stilte af wat het was dat hij niet wist.

Dat je met je vader was gekomen.

Ik realiseerde me hoe ingewikkeld het was uit te leggen wat die man bij mij deed en het leek me beter het niet te ontkennen, dus praatte ik eroverheen. Bovendien wilde ik voor alles weten wat er met Jöhri aan de hand was. Ik nam Montignoso apart en vroeg hem het me zonder verder uitstel te vertellen.

Dat hij ermee stopt.

Ja, dat hij opstapt. Daarom waren we op je aan het wachten. Het is duidelijk dat de accountants al een tijdlang onregelmatigheden zagen in de boekhouding. Waarom denk je dat Clarissa Lampard er vandaag niet was? En Cattermole tijdens het ontbijt, hè? Totdat de omvang bekend is kan hij het voorzitterschap van de conferentie niet vervullen. Dat is wat Jöhri tot zijn verrassing heeft moeten horen. Kort daarop heeft hij zijn functie neergelegd, morgen maakt hij het bekend.

Daarmee komt de functie vacant, vervolgde hij. En ik ben nu hier omdat ik wil dat jij je kandidaat stelt voor de Sectie Kilo. Op die manier hebben we drie van de zeven secties en daarna, als we er nog een binnenhalen, veroveren we de post van Roland Jöhri met gemak.

Laten we samen dineren, dan bespreken we alles.

Nu, vroeg ik en keek naar de Lusitaniër, die uit een reclamerekje een folder van de Folies had gepakt.

Ik zorg wel voor je vader, zei Salcedo.

Montignoso gaf me een paar handgeschreven velletjes papier. Ik kon ze amper doorbladeren, precies genoeg om te zien dat ze vol stonden met schema's, lijsten met namen, een paar cartesiaanse voorstellingen. Ik vroeg hem me in ieder geval even naar boven te laten gaan om me een beetje op te knappen, maar Jana Ledneva zei nee. We sturen je de stad uit, naar het Véfour in Vincennes. We willen niet dat iemand anders je kan vinden en hier zouden anderen buiten ons dat kunnen.

De piccolo van het hotel verscheen in de foyer met twee tassen kleding. De zending had haar bestemming bereikt. Ik zei: Dat zijn twee tassen voor mijn vader.

Laat Salcedo zich daarover ontfermen, zei Montignoso. En over je vader, laat hij je vader meenemen naar Sèvres, naar een van de appartementen voor inwonenden, daar zal hij zich meer op zijn gemak voelen. Hydromassage, kitchenette, computer met internet en zelfs een toelage voor de boodschappen. Zet hem uit je hoofd. En kom nu mee, we moeten praten.

Voor de camera van het Belgische tv-programma *Focus* WTV beklaagt meneer Horvatov, restaurateur van oude meubelen, zich dat zijn vrouw Ljoedmila de hele dag het licht aan wil hebben. Dat kan niet, zegt hij haar.

Zij protesteert: Steek dan in ieder geval een kaars voor me aan. Dan lijk je een dode.

Ljoedmila slaat haar armen over elkaar.

Roeslan Horvatov, luister goed naar wat ik je ga zeggen: omdat je me dwingt weer in het donker te zitten, zal ik spreken.

Arme Ljoedmila, maar wat ga jij zeggen, je weet niks.

Sinds ze dood is, verklaart mijnheer Horvatov, met een droevige blik op de camera gericht, heeft ze het alsmaar over dat licht. Ik heb haar al duizendmaal gezegd dat er geen elektriciteit is, maar het is alsof ze me niet hoort.

Wanneer je dood bent heb je niks meer aan elektriciteit.

Op een dag vroeg de man van de botsautootjes aan Lavrenti Bachtiarov hem te vertellen waar de fiets stond, als jongen was hij amateurwielrenner en op zondag reed hij met een ploeg uit Kiev. Ik zal me ontfermen over het graf van Jekatarina.

Lavrenti Bachtiarov bedankte hem door zijn hand naar zijn hart te brengen en zei dat hij naar de Straat van de Bevlogenen nummer 14 moest gaan, waar de meters staan. Daar zie je de fiets. Wijd hem in door naar de vrouw van de boerderij te gaan, ze heet Nastja. Het is aan de weg naar Ivankovo. Ik nam soms schoolboeken voor haar mee, of de prent van een heilige, ze houdt een collectie bij. Vraag haar je iets voor mij mee te geven. Ze fokt kippen.

De man van de botsautootjes vond het fijn iets voor een ander te doen, ook al was het voor de Tweede Bewoner van Prypjat. De eerste was hij zelf. En omdat het zo koud was ging hij ermee akkoord er een uitstapje van te maken.

Natuurlijk dacht hij eraan op een dag weg te gaan uit Prypjat, maar dit was niet het moment, want ook met dubbele overjas zou hij op de fiets niet ver zijn gekomen.

Hij reed onder het reuzenrad door. Opzij, mijn negentien gezichten, ik ga weg, zei hij terwijl hij de bel liet rinkelen. Dit is een boodschap voor mijn vriend Lavrenti Bachtiarov.

De braakliggende velden, de gaten in de weg, de draden van het elektriciteitsnet, bij iedere pedaalslag werd hij opgewekter. Er wordt gezegd dat de borsten van de oma's zich door de radioactiviteit met melk vullen. Er wordt ook gezegd dat je onrustig wordt en gaat beven. En dat je in ernstige gevallen alleen maar heel korte zinnen uitbrengt. Woorden. Soms niets. Maar laten we dat allemaal even vergeten.

Vlak bij de verdorde bomen zag hij een omheining. Het huis was een *chata* in Oekraïense stijl. Hij zette de fiets tegen de put. Ik kom van Lavrenti Bachtiarov, riep hij van veraf. Ik breng u een paar laarzen als cadeau. Toen deed een in lappen gehulde vrouw de deur open, dat was Nastja Osipovna Jeltsova, ze dacht dat ze zichzelf zo, met al die kledingstukken, tegen de radioactiviteit beschermde.

Ze spraken over de transformerende krachten, over mensen die op tijd weten te zwijgen, over de moderne geest.

Zij vertelde hem dat haar schoonzoon begraven lag in het

gedeelte achter het huis. Haar schoonzoon, Pjotr, een elektronica-fenomeen. En dat ze er, om het graf aan te geven, niet alleen een kruis op had gezet, maar ook uien eromheen had geplant. Ze had ze zo geplant dat ze de omtrek van een hart vormden.

Bij Pjotr Polisjoek was de ontbinding bij de huid begonnen, er kwamen vlekken op die vreemd roken. Vreemd is een woord dat een ander woord vermijdt, of ten minste uitstelt, namelijk slecht, verrot, hij stonk alsof hij al niet meer leefde. Hij kon zelfs niet uit bed opstaan. Toen hij was gestorven, probeerden Nastja en haar dochter Vera hem op te tillen, maar omdat ze geen kracht hadden en ook geen kruiwagen om hem te vervoeren, stelden ze vast dat ze niet tot aan het kerkhof zouden komen en sleepten ze hem over de grond tot waar nu de uien stonden. Toen de begrafenis voorbij was nam Vera de kleine en bracht hem naar een ziekenhuis in Minsk, want hij had ook al grijze vlekken op zijn armpjes gekregen. Zodoende was het graf aan Nastja's zorg overgelaten, en Nastja aan de zorg van niemand.

Nastja Jeltsova was een tijdje bezig de bloemen in een vaas te schikken. Toen vervolgde ze:

Op een dag liep de familie Bolotsjaj voorbij het huis. Ze gingen Livia trouwen, de oudste dochter, en er was geen andere weg om naar de kerk te gaan, want anders hadden ze een omweg gemaakt om zo het verse graf van Pjotr niet te onteren. Zo waren de Bolotsjajs. Livia droeg een heel witte bruidsjurk. Wat zou Pjotr het mooi gevonden hebben die jurk te zien en de stof aan te raken. Nastja wist hoe haar schoonzoon was, alleen zij wist dat echt. Ze stond op het punt hem op te graven. Pjotr, verrijs een momentje, doe een laatste inspanning en bewonder die stof. Heb je ooit zulk wit gezien? Maar ze deed het niet. Ze ging tussen de uien zitten en begon de details van de jurk van de oudste dochter van de Bolotsjaj op te sommen. Ik weet hoe Pjotr was. We spraken over naaien. En nu zijn we erg vertrouwd met elkaar.

Nastja Jeltsova zweeg. En zo bleef ze een paar minuten naar het raam gekeerd staan. Aangezien ze de man van de botsautootjes niets aan kon bieden behalve haar conversatie, wat onder die omstandigheden al veel was, vertelde ze hem dat haar gezicht sommige nachten gloeide, ook al was ze daar al aan gewend. Het is als koorts, maar je weet dat het dat niet is. En dat de groenten die ze kweekte, niets verkeerds konden hebben. Ik houd van allerlei soorten paddenstoelen, soms eet ik ook wortels. Vooral aardappels. Ik maal er niet om wat ze zeggen. Je moet toch iets eten en hier heb ik van alles. En niemand valt me lastig.

De paddenstoelen moet je zo klaarmaken: eerst doe je ze in water, een paar liter, doe er twee eetlepels zout bij en laat ze de hele ochtend staan, gooi het water weg en doe datzelfde nog twee keer, en 's avonds zijn ze voor tachtig procent schoon. Een verpleegster heeft het me zo uitgelegd.

Hoewel, soms heeft water zelf meer radioactiviteit dan de paddenstoelen. En wat dan nog?

Ze zijn langs geweest en hebben de paddenstoelen doorgemeten. Een handvol had meer dan 9000 becquerel. Echt waar, zei ik. Ik schrok vreselijk. Zij noteerden het allemaal in een schriftje, rekenden het uit: 47 000 becquerel per kilo. Het schijnt dat je tot 3000 per kilo kan eten en dat meer dan dat gelijk staat aan de dood.

De man ging met Nastja bij het vuur zitten, buiten was het zo koud dat de grond, je ogen en je verstand bevroren. Dus begon hij haar te vertellen dat hij in Prypjat woonde. In wat vroeger hotel Polesje was, zei hij, in de Koertsjatovstraat. Daar dus, met Lavrenti Bachtiarov. Om beurten houden we de wacht voor als de honden komen. We hebben een soort broederschap gevormd en zo redden we ons. Maar andere nachten slaap ik in het filmtheater, Prometheus. Of in de cabine van de botsautootjes. Ik heb geen vaste plek.

Ze aten koolsla en daarna gaf hij haar het paar oude laarzen dat Lavrenti Bachtiarov haar stuurde. Ze waren met wol gevoerd. Ze waren haar te groot, maar dat gaf niet. Nastja keek naar haar voeten en schoot in de lach. Ik lijk wel een berin.

Ook mijn dochter Vera bezoekt me zo nu en dan, vertelde ze terwijl ze de borden afwaste. De soldaten willen haar niet doorlaten, maar Vera vertelt hun dat ze bij Pjotr komt bidden. Ze brengt medicijnen voor mij mee. Liefdadige gezondheidszorg, iets van een paar uur. Meestal blijft ze tot de middag. Mijn kleinzoon kan ze niet meebrengen, want die ligt in het oncologische ziekenhuis van Minsk. Hij heet Marat en hij moet een papje eten dat van appels wordt gemaakt.

Vitapect, zei hij, op basis van pectine.

Precies, pectine, zo heet het. Hoe weet u dat? Ze zeggen dat 't het bloed zuivert. Hij zal genezen. En dan komt hij op een dag en zal ik hem duizend kusjes geven. En ik zal hem kunnen omhelzen. Tot zolang moet ik me tevredenstellen met deze foto. En ze liet hem zien, ze had hem in een zak van haar kamerjas. De foto van een jongetje zonder haar. In een bed. Glimlachend, voor oma Nastja.

Bent u niet bang, vroeg hij haar.

Nastja veegde de kruimels van het tafelkleed bijeen. Ze vouwde het op en legde het in het dressoir.

Waarom, iets ergers kan mij niet gebeuren. Dat de ratten me op een dag opeten, wat een zegen. Ze leven in de vijver. 's Nachts hoor ik dat ze binnen willen komen. Dan heb ik zin de deur open te doen en te roepen: eet me dan op, ratten. Genoeg oudevrouwenvlees voor iedereen.

De man van de botsautootjes moest weg. Hij knoopte de eerste overjas dicht en daarna de andere die hij daar overheen droeg. Hij pakte de fiets bij het stuur maar stapte nog niet op, hij testte de remmen. Nou ja, ik ga terug naar mijn hol. In Prypjat zal niemand mij zoeken. En als ik het doorsta, wanneer de kou voorbij is en iedereen me is vergeten, als ik het doorsta dan ga ik naar het buitenland. Ik heb het goed uitgedacht.

Nastja stopte zijn zakken vol aardappelen voor Lavrenti Bachtiarov. Ze had ze een voor een gekust. En verdelen jullie deze kip tussen jullie beiden, hoe jullie willen.

Ze heeft een zwarte kam, dat ziet u wel. In het begin is hij rood, maar langzamerhand wordt hij zo. Snijd hem eraf voordat jullie de kip klaarmaken en er gebeurt niks. Dat heeft geen enkele verpleegster me verteld, dat weet ik omdat ik het weet.

Nastja veegde haar handen af aan haar schort.

Ik wilde het u niet vertellen, omdat het is alsof ik ongeluk over me afroep door erover te praten. Maar zo lucht ik mijn hart. Sommige ochtenden komt er een man. Die zit dan urenlang onder die notenboom daar, ziet u hem? Die aan de overkant van de rivier. Ik peins er niet over te gaan vragen wat hij wil. Of hij misschien een vriend van Pjotr is van vroeger, die om hem komt treuren. Wanneer hij het kijken moe is, gaat hij weg. Uit de verte zie je een paar heel, heel dikke benen.

Maar goed, zei Nastja, u heeft me nog niet verteld hoe u heet.

De man van de botsautootjes had net de kip op de bagagedrager van de fiets gebonden. Hij stapte op en begon te trappen. Ik, Vasja, zei hij. En hij verwijderde zich over de weg.

Ik begon warm te lopen voor mijn kandidatuur voor de Sectie Kilo. Ik kreeg een carrière als internationaal functionaris aangeboden, mijn salaris werd verdubbeld, hoezo zou ik niet accepteren dat Montignoso mij, na het aftreden van Jöhri, opnam in zijn plannen om voorzitter te worden van de Conferentie voor Gewichten en Maten. Hij had de Mol al achter zich, waar Jana Ledneva voorzitter van was, de Sectie Kelvin van Carolina Pompeo, en met mij, als ik gekozen werd, het Kilogewicht. Drie van de zeven, tot zover.

Ik zei ja, want ik houd er niet van goedkoop te leven. En ook omdat Jana Ledneva dat leuk leek te vinden. De eerste nacht die ik in het Véfour doorbracht, trof ik haar namelijk in de tuin. Ze stond op het punt weg te gaan, maar plotseling bleef ze. Ze droeg een ijsvogelblauwe jurk en ze zei: Als je een ander leven wilt beginnen, hier ben ik.

Lieve Jana Ledneva. En een andere baan. Zodoende voelde ik me, weer terug thuis na een autorit van negentienhonderd kilometer, een ander mens.

Bij aankomst was ik van plan een bad te nemen en nergens aan te denken. Zodra ze de sleutel in het slot hoorde maakte Adela, die het huishouden doet, af waar ze mee bezig was en met de post in de hand kwam ze me begroeten.

Je vader is naar bed.

Ik had al een handdoek over mijn schouder toen ze dat zei, ik liep blootsvoets, en dan ben je niet gekleed op nieuwtjes. Mijn vader, welke vader. Ik bleef in de deuropening van de badkamer staan, mijn hand op de deurknop, en ik aarzelde te besluiten naar binnen te gaan voordat ik begreep wat Adela precies zei. Ik had geen vader, die was al dood. Of was hij weer opgestaan. Vertel op, welke vader, als ik weten mag. Welke vader was dat, welk misverstand.

Ik heb de kamer achterin voor hem klaargemaakt, daar zit-ie heel goed.

Ik deed een stap naar voren om het bankje van de badkamer te bereiken dat naast de wastafel staat. Ik moest gaan zitten. Welke vader, Adela vertelde me het precies op dat moment. Maar ik kon geen woord over mijn lippen krijgen.

Hoelang blijft hij hier, ging ze verder. Secretaris Salcedo heeft hem gisteravond gebracht.

Ik trok de handdoek over mijn hoofd. Ik wilde daar niet zijn noch ergens anders.

Mijn handen begonnen te slapen en ik legde ze tegen mijn borst. Mijn maag protesteerde.

Er steeg zoiets als hitte naar mijn gezicht.

Salcedo zei dat uw vader in Sèvres voortdurend vroeg hem naar huis te brengen. Maar in onze appartementen heeft u alles, had Salcedo hem gezegd. Een park, een praktische kitchenette voor het geval u zelf iets wilt klaarmaken, en kijkt u eens wat een badkuip, zelfs een computer met internet, ik zag gisteren dat u hem gebruikte. Als gast van Metrologie heeft u krediet om via internet te kopen. Maak er gebruik van. Maar uw vader vroeg om hem naar huis te brengen, en dat de hele dag lang, hij kon niets anders uitbrengen. Dus aangezien hij geen concreet adres opgaf en jij niet gestoord wilde worden omdat je jezelf had opgesloten, de deur van je hotelkamer met de sleutel had afgesloten, of je misschien wel naar buiten was gegaan maar niemand iets had gezegd, kortom, dus toen je vader er zo bij Salcedo op aandrong bracht die hem hier naar huis, en daarna zullen ze het samen wel eens worden, dacht hij, of ik krijg nieuwe orders.

En nu is hij hier. Hij heeft het over een fiets en ik weet niet wat voor honden die loslopen door de stad.

Hij zegt dat iedereen hem Vasja noemt, dus ik noem hem ook Vasja. En dat accent? Ik wist niet dat jouw vader buitenlander was.

Varaksina_70, uit Kiev: Het kost vierhonderd dollar, dat is alles, en niet zo denken aan uranium-235, waarmee isotoop-238 wordt verrijkt tot nucleaire brandstof, wat het hart is van de reactor *Reactor Bolsjoj Mosjtsjnosti Kanalni* en een levensduur heeft van zevenhonderd miljoen jaar. Want torium is erger. Veertien miljard jaar, dat is volgens het Nationaal Laboratorium van Los Alamos de gemiddelde levensduur van torium-232. De mensen van Solo East Travel zorgen overal voor, inclusief de Ditjatki-pas. Zeven uur precies op het 'Shouthern'-perron van het busstation, daar is Brovkin, de gids. Jevgeni Brovkin. Er zijn speciale aanbiedingen, afhankelijk van de datum is het tot dertig procent goedkoper. En gaat er een groep van meer dan vijftien personen, dan rekenen ze maar tweehonderd dollar p.p. 't Is de moeite waard. De koffietafel met de bewoners van Opatsjitsji is optioneel en wordt apart betaald. De andere vraag betreft het prikkeldraad en of die afscheiding overschreden mag worden. Maar dat heb ik niet gezien. Iemand moet het hebben weggehaald. Dat blijft daar geen duizend jaar staan. In het begin waren er ook gele plassen, die zie je ook niet meer. De mensen zeggen zo veel, maar niets houdt het duizend jaar uit. En al helemaal niet veertienduizend miljoen jaar, zoals dat torium-232 waar iedereen het nu over heeft, de mensen zijn gek.

Also, please read this FAQ:

http://forum.Prypjat.com/announcement.php?f=23&a=28
Best Regards. Varaksina_70 wrote. From: Varaksina_70.
To: De fietser van Tsjernobyl. Sent: Monday, August 17, 2009 12:36 PM. Subject: About a visit.

Omdat ze ervan overtuigd waren dat ze doodgingen, haalden Rostislav Grijenko en zijn vrouw Oletsjka de deuren uit de sponningen van alle verdiepingen waar ze tenminste een nacht hadden geslapen. Ze legden ze op vier stoelen alsof het de reservetafel was voor een huisfeest en met een schaar krasten ze aan het hoofdeinde een kruis. Daaronder volgden hun namen: Rostislav, uit Teremtsy, 1951. En Oletsjka, 1956. Als ze doodgingen hadden ze altijd een deur bij de hand, want ze wilden vóór alles de traditie van hun voorouders nakomen, die eruit bestond dat het lijk voor de dodenwake op een deur moest worden opgebaard.

Rostislav Grijenko, spoorwegman, en zijn vrouw Oletsjka waren na jaren teruggekeerd naar Prypjat. Net zoals de wormen die gedurende lange tijd diep de grond in waren gegaan. De omaatjes van het dorp van Voznesenski hadden het gadegeslagen. Maar nu kwamen ze naar boven. Je kunt ze eten en ze zijn heel voedzaam, de wormen.

Dat stuk moet je eraf halen, kijk. De rest kan je helemaal eten.

Dat is wat ze tegen Vasja zeiden, zo maakten ze kennis met elkaar, met een praatje over wormen. En over deuren om een overledene op te baren.

Vasja maakte een rondje op zijn fiets om in vorm te blijven en plotseling zag hij ze, gebukt over de buis van een afwatering, terwijl ze met een schaar de grond omwoelden. Ze keken elkaar aan. Er gingen een paar minuten voorbij zonder dat ze iets zeiden, alsof ze een verschijning zagen.

Uiteindelijk zette Vasja zijn voet weer op het pedaal en net op dat moment zei Oletsjka: Niet weggaan, we zijn hier vanwege de wormen. Het is zacht vlees. Ze smaken naar de kikkers uit de vijvers en je hoeft niet zo ver te gaan om ze te vangen.

Sommige zijn wel zo lang als een hand.

Ze bekeken elkaar met achterdocht. Alsof, behalve dat wat ze zagen, noch de stem van de een noch de verbaasde ogen van de ander betrouwbare bewijzen waren van hun bestaan.

Voor het ongeluk in de centrale was Rostislav Grijenko aangesteld op het station van Janov, vlak bij Prypjat. Hij werkte er vijf maanden aan het onderhoud van de elektrische systemen, totdat ze werden geëvacueerd. Ze logeerden een tijdje in het huis van familie in Kiev en daarna gaven de autoriteiten hun een woning in Slavoetitsj, de opvangstad die in allerijl werd gebouwd met bijdragen van alle republieken van de Sovjet-Unie. Hij werd op 38 kilometer van de centrale gebouwd. Dat was veel te dichtbij. En ook was hij veel te kunstmatig, die stad Slavoetitsj waarin iedere straat de traditionele architectuur nabootste van telkens een andere republiek.

We hadden daar een winkel in levensmiddelen. Werkkleding, allerlei soorten aas voor het vissen.

Oletsjka ging op de stoeprand zitten en kamde met haar vingers het haar naar achteren. Daarna begon ze met de schaar haar nagels schoon te maken, erop bedacht dat de prooi aan wormen die ze in haar hand had, haar niet zou ontsnappen. Terwijl zij praatte ging haar man Rostislav bij de afvoer door met het zoeken naar wormen. We drukken ze niet plat, ziet u. En u, waar houdt u zich mee bezig?

Vasja slikte een keer. Hij nam de tijd en zei toen zich verbergen.

Is dat een beroep, vroeg Oletsjka.

Nou ja, ik knap ook mijn kamer in het Polesje op waar ik woon, een stel potten met planten zou geweldig staan. Je moet jezelf niet verwaarlozen, de wet van de overleving. Eerlijk gezegd, ik maak het ook helemaal niet slecht. Prypjat begint me te bevallen. Er komen steeds meer mensen uit hun holen. Aan het eind stichten we een nieuw leven, zo zie ik het.

Oletsjka staarde hem aan.

Lavrenti Bachtiarov kent u ook wel, vervolgde Vasja, u heeft hem zeker wel horen zingen.

Ah, die van het Prometheus, zei Oletsjka terwijl ze overeind kwam. We hebben nooit met hem gepraat, hij is vast niet goed bij zijn hoofd. Op een dag gingen we naar het Prometheus, want we wisten dat hij daar rondliep, altijd omringd door honden. We liepen op onze tenen naar binnen, we gingen op de achterste stoelen zitten en we hoorden hem zingen. Wat kon die mooi zingen.

Verbergt u zich omdat u een misdadiger bent, onderbrak Rostislav Grijenko haar terwijl hij zich met een handvol wormen tot Vasja richtte. Daar was hij beducht voor en hij wilde een antwoord. Al naargelang wat hij zou horen, zou hij hem er een geven.

Vasja barstte in lachen uit. O nee, helemaal geen misdadiger. En toen flapte hij er bijna uit dat hij fysicus was. Om precies te zijn, nucleair fysicus. Chef-constructeur van de mobiele atoomcentrales van het Pamir-project. Maar hij hield zijn mond. En hij lachte nog harder. De onbeschaamdheid om in dat ijzig koude Prypjat in het gezicht van Oletsjka en haar man Rostislav te gaan staan lachen.

Allereerst een naam, zei ik toen ik de kamer binnenging. Een echte naam, niet Vasja. Wat is dat voor iets, Vasja?

Ik trok de jaloezie op.

Dat op de eerste plaats, en op de tweede plaats: u kunt hier niet blijven.

Ik trok het beddengoed weg zodat hij op zou staan.

Ik sta klaar om u terug te brengen naar Parijs. Nou, kom op, zeg iets. Wilt u me in ieder geval aankijken?

Ik pakte hem bij de arm, kom mee, zei ik. Eerst moest ik hem in bed overeind zetten, wat met veel inspanningen en mislukkingen gepaard ging, en hem helpen zijn voeten op de grond te zetten. Ik kleedde hem aan met de kleren die op de stoel lagen, en toen ik hem eindelijk op de been had, was hij nauwelijks in staat te lopen, zo reumatisch moesten zijn gewrichten zijn. Ik pakte de tassen en we gingen naar beneden, naar de garage. Ik zette hem op de achterbank van mijn auto en we vertrokken voor een tour door de stad. Er reden nog auto's en bussen en er waren veel voetgangers.

Ik reed over de boulevards en dacht: ga naar je eigen soort en laat mij met rust, van wie ben jij er een. Ik stopte bij parken en keek rond, ik zocht een verlaten wandelpad, dat soort plekken.

Laat iedereen zich over z'n eigen mensen ontfermen en niet ik over die van anderen. Laten we verder weg gaan, zei ik bij mezelf. Ik keerde de auto en reed naar de buitenwijken en minderde vaart bij de onbebouwde stukken grond waar veel vrachtwagens stonden of waar de stad ophield en de ontginning begon. Ik draaide het raampje open, stak af en toe mijn hoofd naar buiten om beter te kijken zonder uit te hoeven stappen, want die buitengebieden boezemden me angst in. Ik reed over industrieterreinen op zoek naar een plek die me beviel, zo mogelijk waar een bewaker een oogje in het zeil hield zodat hij hem te hulp kon schieten. Ongeasfalteerde straten, rietvelden. Niks leek me geschikt. Niet om hem daar achter te laten, maar ook niet om hem mee terug te nemen. Af en toe keek ik naar hem in de achteruitkijkspiegel. Hij wendde zijn ogen niet van de mijne af. Maar ik wilde me niet laten chanteren, nergens aan denken.

Ik nam de autoweg. Ik legde zo'n twintig kilometer af met die Vasja als passagier. Toen begon hij te zingen, maar de tekst was in een taal die ik niet kende, wat een vreemd slaapliedje was dat.

Ik arriveerde bij een pompstation. Als ik een paar bankbiljetten in zijn zak zou stoppen, zou een man die niet arm was maar verdwaald leek, niemand onverschillig laten. Dus we stapten uit de auto, ik haalde de zakken kleding uit de kofferruimte en we liepen samen naar de restauratie. Ga aan deze kant lopen, moest ik hem bij iedere stap zeggen, want we struikelden telkens over elkaar alsof hij zich niet te ver van mij wilde verwijderen, hij pakte zelfs mijn arm. Ik voelde dat hij uit zijn ooghoeken naar me keek, maar ik wilde hem niet aankijken.

Ik plantte hem op een stoel dicht bij de uitstalkast met souvenirs. Ik zette een tas aan elke kant, voor het geval hij twijfelde welke kant uit te vallen. Toen ging ik tegenover hem zitten. Wie bent u, zei ik zachtjes.

Ik dronk mijn koffie op. Tegen die tijd had ik afgezien van de komedie hem te zeggen dat ik naar het toilet ging, waarom zou ik als we het allebei al wisten. Ik keek om me heen en zodra ik zag dat iedereen met z'n eigen zaken bezig was, liep ik weg als iemand die zijn benen gaat strekken, zonder me te haasten om niet de aandacht te trekken. Ik startte de motor, manoeuvreerde en reed langzaam naar de uitgang. Toen ik langs de ramen van de restauratie reed, zag ik hem en hij zag mij en hij hief zijn hand op om afscheid te nemen, alsof hij me bedankte. Met een druk op de claxon zei ik hem ook vaarwel, geen dank.

Lavrenti Bachtiarov, de zanger van Prypjat, hield zijn ogen gesloten en verroerde geen vin. Misschien was hij ziek geworden door de kip die Nastja hun had gegeven. Maar Vasja had er ook van gegeten. Ze hadden de zwarte kam eraf gehaald en dat was het. O, Lavrenti, Lavrenti, zo kun je niet doorgaan. Je gaat nog dood. Hij nam hem in zijn armen. Houd je tenminste aan mij vast. Arme kerel, zelfs dat kan je niet. Zo te voelen kom je nog niet aan de vijftig kilo.

Laten we maar gaan, hoe eerder we Prypjat verlaten hoe beter.

Vasja vertrok via een achterdeur van het Polesje met Lavrenti op zijn rug. In de kleine Berjozkawinkel, aan het einde van de straat, schuilden ze voor de regen.

Ik laat je even alleen, zei hij. Het is maar vijf minuten, de tijd om mijn fiets te halen.

Hij vertelde hem ook dat hij hem naar de dokter wilde brengen, in Slavoetitsj was een polikliniek. Onmogelijk, zeg je? Ik versta je niet. Had je gezegd dat we daar nooit zouden aankomen? Dat zien we dan gauw genoeg.

Vanuit Slavoetitsj wilde hij dokter Bandazjevski van het Medisch Instituut van Gomel bellen, om hem antibiotica te vragen en een dosis pectine. Het was bekend dat de pectine de kwalijke gevolgen verminderde en het bewijs daarvan vormden de bewoners van Slobodka, op zeventig kilometer van de centrale, die van Olmani op tweehonderd kilometer, Skorodne op negentig kilometer. In die dorpen had Vasja zijn metingen verricht voordat hij zich in Prypjat had verscholen, en ook al was pectine geen afdoende geneesmiddel, de mensen konden ermee vooruit.

Dus maak je geen zorgen, je hebt nog een kans. Ik ben zo terug. Vasja verdween in de mist en prentte zich de straten in, hij zwierf rond als iemand die niets ziet, maar hij had zijn twee overjassen aan en de kou schrikte hem niet af. Hij vervolgde de zoektocht naar zijn fiets en vond hem uiteindelijk tegen een lantaarnpaal. Daar had hij hem een paar dagen eerder achtergelaten en daar stond hij, op de dezelfde plek waar hij eeuwig was blijven staan. Er ontbrak niets aan: een bel, functionerende remmen, een dynamo. Hij probeerde of de bagagedrager stevig vastzat aan het frame, en draaide de vleugelmoeren waarmee hij aan de zijkanten verankerd zat, zo stevig mogelijk aan. Klaar. Toen fietste hij terug naar de Berjozkawinkel. Hij sloeg een deken om Lavrenti Bachtiarov, zette hem op de bagagedrager en om te voorkomen dat hij zou vallen, bond hij hem aan het frame van de fiets vast met een elektriciteitskabel, die hij daar in de winkel had gevonden.

Lavrenti Bachtiarov moest met het hoofd tegen zijn rug leunen en zich niet bewegen. Begrijp je? En houd je armen hier, zodat ze niet hangen.

En daar begon de reis. Vasja zweette zo erg dat zijn eerste overjas algauw door en door nat was, zijn zweet bereikte de tweede jas niet. Hij maakte de knopen los maar dat was nog erger, want de mist drong door tot zijn borst. Maar hij peinsde er niet over zich te beklagen en ook niet om af te stappen voordat ze in Slavoetitsj waren.

Het asfalt zat vol scheuren en er waren veel gaten en afgevallen takken. Een everzwijn, dat hij met een ervaren manoeuvre van het stuur ontweek, wilde oversteken maar bleef plotseling gedesoriënteerd midden op de weg staan, Vasja had nog nooit zo'n stom beest gezien. Hé Lavrenti, zag je dat? Van nu af aan goed oppassen voor als er weer een opduikt.

Verderop kwam Vasja een gedeelte met bevroren plassen tegen en reed hij over de berm zodat de wielen niet zouden wegslippen. Er werd gezegd dat het hele gebied omheind was en dat er langs de weg controleposten stonden. Er werd ook gezegd dat de soldaten zich bij de geringste gelegenheid uit de voeten maakten, want wie bleef er nou nacht na nacht bij de slagboom staan, en dat wekenlang, maandenlang zelfs, zonder aflossing. Laat brigadier Blazoetski maar blijven, protesteerden ze. Ik ben weg. Of laten ze me anders een geigerteller geven om te kijken hoe het met die verdomde radioactiviteit staat. Maar zonder hem te manipuleren, dat verhaal kennen we.

Vasja draaide zich zo nu en dan om en vroeg Lavrenti Bachtiarov of het ging. Hij nam een hand van het stuur en raakte zijn gezicht aan om te voelen of hij warm was. Zit je goed daarachter, Lavrenti? Heb je het koud? Even doorzetten en houd je goed vast. Hij trapte langzaam, want de fiets had zijn beperkingen, en hij onderhield zijn passagier door hem te vertellen dat bij aankomst verpleger Tsjepyzjin misschien wel dienst had, die had hij een keer uitgelegd hoe hij een stralingsmeter voor menselijke straling moest gebruiken. Ik zou hem zeggen dat ik het ben, en hij wees op zichzelf. Herinnert u zich mij niet? Kijk dan, ik.

De verpleger, verbaasd: U leeft nog.

U ziet het toch. En nu wegwezen, ga Bandazjevski uit Gomel waarschuwen.

Verpleger Tsjepyzjin zou hem dan bij de arm pakken, hem in een hoek apart nemen en hem fluisterend in het oor zeggen: Het is gevaarlijk voor hem om hier te komen.

Trouwens, dokter Bandazjevski is al weg sinds de zomer. Hij is aangehouden. Waarom, zult u willen weten. U heeft samen met hem de becquerels gemeten, dus ik vertel u geen geheim.

Natuurlijk wist Vasja dat cesium-137 via voedsel wordt opgenomen in de stofwisseling. Bij meer dan 50 becquerel per kilo begint de stralingsschade. In sommige dorpen hadden ze 300 en 500 becquerel gemeten. De vrouwelijke arts Kotlavja had bij de oudste zoon van de familie Sadenov 2250 becquerel per kilo gemeten. In Kirov en Chiltsjika, in het Narovljadistrict, kwam de dosismeter aan de 7000 Bq/kg. Mannen stonden in de keuken en vielen dood neer. Of ze gingen vissen en werden later met hun hoofd onder water teruggevonden. Alleen was het geen zelfmoord, hun hart was ermee gestopt. De autoriteiten wilden nergens van weten. Alles is in orde, zeiden ze. Geen enkel probleem daar te wonen. Ga terug naar jullie huis.

Bandazjevski, zou verpleger Tsjepyzjin zeggen, zag geen andere oplossing dan alles in het televisieprogramma van Soebat te vertellen.

Hij zei dat de WHO ondergeschikt was aan het Internationaal Atoomenergie-Agentschap, dat hun rapporten werden gecontroleerd voor het geval ze tegen hun belang ingingen. Dat is de overeenkomst van 28 mei 1959, resolutie 12-40 van de Wereldgezondheidsassemblee. Ik heb dat in een notitieblokje genoteerd en ik weet het.

Dus nu wordt dokter Bandazjevski ervan beschuldigd deviezen in het buitenland te hebben om de oppositie te financieren. Van oplichting. Van terrorisme en van duizend andere leugens. De veroordeling is tot acht jaar gevangenisstraf.

Als ik u was, professor, zou ik uit Slavoetitsj verdwijnen voor ze u zien. Waarheen? Bij mij thuis kan ik u niet verbergen, uitgesloten.

Vasja trapte verder met een hand aan het stuur en de andere tegen het gelaat van Lavrenti Bachtiarov. De houding was ongemakkelijk, maar zo was hij er zeker van dat achter hem alles goed ging. Hij schatte dat ze ter hoogte van de weg naar Parisjev waren, dan hadden ze zes kilometer afgelegd. Maar in plaats van af te stappen dacht Vasja aan wat ze in Slavoetitsj aan zouden treffen, en hij vertelde dat aan zijn passagier op de bagagedrager, hij vertelde:

Dat die brave Tsjepyzjin wat proviand voor hem zou bemachtigen. Later zorg ik er wel voor dat alles weer in de voorraadkast terug komt, zou hij zeggen. Een paar blikken. Vooral verse producten. Appels, wat melk. Maar wat heb je daar achter op de fiets? Maar dat is een man, een man in een deken, daarom ben je hier gekomen, nu begrijp ik het. Kom, help me hem los te maken, hij moet niet bevriezen.

Laat hem de nacht in de polikliniek doorbrengen en morgen brengen we hem naar Gomel, daar zijn meer spullen.

Vasja zou de levensmiddelen pakken en teruggaan naar de fiets.

Tot ziens, zou verpleger Tsjepyzjin hem vanuit de deuropening van de kliniek zeggen, tot ziens. En hij: Pas goed op mijn vriend. Nietwaar, Lavrenti?

Vriend Lavrenti Bachtiarov, hoor je me? En terwijl hij doorfietste, krabbelde hij aan zijn gezicht, eens kijken of hij eindelijk wakker wordt. Want zo niet, waarom praat ik dan nog?

Ongemakkelijk vanwege een dergelijke stilte, remde Vasja af en zette een voet op het asfalt, want het was weinig bemoedigend de hele tijd te zitten praten terwijl Lavrenti geen woord terug zei. Hij keek achterom, in de verte kon hij de gebouwen van Prypjat nog zien. Op dat moment moest hij erkennen dat ze op die fiets nooit in Slavoetitsj zouden raken, noch in enig ander dorp waar mensen woonden.

Hij boog zijn hoofd, leunde op het stuur en bleef zo een poosje staan, hijgend van die poging om weg te komen uit Prypjat. O Lavrenti, zei hij. Mijn gezicht bevriest, ook ik heb geen kracht meer en Slavoetitsj is nog zo ver.

En jij bovendien, zo zwijgzaam.

Hij voelde zijn longen samentrekken.

Alles zit me tegen, vervolgde hij, dus ik denk dat jij de weddenschap hebt gewonnen. Want als we niet onmiddellijk omkeren, komen we nooit meer van deze weg af. Wat zeg jij ervan?

Lavrenti Bachtiarov zweeg. Dus draaide Vasja zonder een ogenblik te verliezen om, want onder die omstandigheden langer blijven staan betekende zich overgeven aan onvermijdelijke bevriezing, en hij fietste terug waarlangs hij was gekomen, geen kracht meer in zijn benen, ze trilden zelfs een beetje. De donkere bermen stemden hem somber, de nacht viel in en ze keerden terug naar huis.

Rustig maar, Lavrenti, zei hij tegen zijn vriend, ik heb je beloofd dat ik voor jou en je dode zou zorgen als je sterft, en dat de honden jullie niet zullen opgraven.

Terug in Prypjat fietste hij boulevard in boulevard uit, iedere pedaaltrap viel hem zwaarder, de Helden van Stalingradstraat liet hij links, hij stak pleinen over, passeerde het Voschodgebouw en het Paleis van de Pioniers en ging richting Medsantsjast 126, dat ooit een prachtig ziekenhuis was. Hij verwachtte daar geen dokter aan te treffen, ook niet die goeie Tsjepyzjin, maar wel de normale plek voor een zieke.

De terugweg had hij zwijgend afgelegd want tegen die tijd had ook hij, net als Bachtiarov, niets meer te vertellen. Hij maakte hem los, zette hem van de fiets en nam hem op zijn schouder. Om de paar treden pauzerend droeg hij hem de trap op naar de eerste verdieping om hem buiten bereik van de honden te brengen, hoger kon hij niet. Hij legde hem op een matras en dekte hem toe met een paar dekens.

Toen hoorde hij iemand rennen aan het einde van de gang. Kinderstemmen, een ervan huilde.

Vasja dacht dat het verbeelding was, wat met het slapen wel over zou gaan. Maar de stemmen zwegen niet, dus liep hij de gang in. Gehuld in de twee overjassen die hij altijd aanhad, de kragen omhoog om zich zowel tegen de stemmen als tegen de kou te beschermen, zette hij een paar stappen, daarna nog een paar. Er was geen licht, waarom ook als de centrale gesloten was. Waar ben je, zei een kinderstem.

Tegen de muur gedrukt liep Vasja verder. Hé, waren jullie dat van die Kosmossnoepjes? Hij had naar de cabine met slangen van de botsautootjes moeten gaan. Dan had hij niet al dat sterven hoeven mee te maken, met doden die praten. Jullie hebben een gezicht op een van die zakken bij de botsautootjes getekend, hè? Hij raapte een ijzeren staaf op die op de grond lag, ook al waren het maar kinderen hij kon maar beter voorbereid zijn, want weet maar eens wat voor kinderen het zijn.

Waarom zitten jullie aan dingen die niet van jullie zijn?

Maar in de kamers achterin vond hij niemand. Misschien hadden ze hem gehoord, zagen ze hem dichterbij komen en hadden ze zich in een kast verstopt.

Misschien waren het de kinderen van de Droezjby Narodov-straat.

Hij ging op de grond zitten, in een hoekje. Een lange gang waar niemand was, alle deuren geopend.

Mijn hart was niet zo koud dat ik kon doen wat ik aan het doen was, dus draaide ik bij de eerste de beste gelegenheid om. Ik dacht dat die Vasja wel in een bejaardentehuis zou worden opgenomen, of waar dan ook, want in een dergelijk geval is er altijd wel een instantie die een oplossing garandeert. Ik drukte het gaspedaal in en verliet de weg bij hetzelfde wegrestaurant waar ik hem eerder had achtergelaten. Ik parkeerde de auto. Een paar minuten bleef ik met mijn handen op het stuur zitten. Toen stak ik de loopbrug over en ging het restaurant binnen. Daar zat hij nog, in zijn stoel.

Laat ze me niet vermoorden, zei hij.

2

Montignoso belde me dat ik naar Parijs moest komen en ik zei hem dat dat onmogelijk was, in elk geval erg moeilijk.

Een paar dagen was voldoende.

Hoeveel, vroeg ik hem, maar ik had geen zin met hem over het aantal te onderhandelen.

Hij zei dat een week het minimum was, want secretaris Salcedo had tientallen ontmoetingen met afgevaardigden in de agenda geperst.

Maar zo veel dagen kon ik niet, ik had die Vasja die in een van mijn pyjama's op een bank in de woonkamer zat. Van maandag tot woensdag, zei ik, drie dagen dus. En ik nam aan dat het overtuigend klonk als ik eraan toevoegde dat het om mijn vader ging, Salcedo had hem bij mij thuis gebracht en nu moest ik dag en nacht voor hem zorgen.

Montignoso ging uiteindelijk akkoord, want iets is beter dan niets, en hij zei dat hij Salcedo zou zeggen dat hij me de vliegtickets moest sturen en een kamer in het Véfour moest reserveren, en dat hij bovendien de bijeenkomsten moest beperken, want wat kon je doen in drie dagen, eerlijk gezegd niet veel.

Dat spraken we dus af.

Intussen wachtte mijn gast, Vasja, rustig af wat er met hem zou gebeuren. Ik had hem een paar pijltjes gegeven waarmee hij op de roos kon mikken en ik verzocht hem tevreden te zijn dat ik hem in huis had genomen en, al was het maar tijdelijk, mijn bescherming, eten zoveel hij wilde en zelfs mijn pyjama had verstrekt. En dat het al laat was, zo laat zelfs dat de klok onverbiddelijk het uur aangaf dat er geslapen moest worden, zo zag hij maar hoeveel ik me om hem bekommerde. Ik hield hem vast bij zijn arm, zodat hij geen faux pas zou maken, en ik nam hem mee naar een kamer die hij bijna de zijne zou kunnen noemen, en in de overtuiging dat zijn maag daar wel tegen zou kunnen, liet ik een glas water en een pakje koekjes achter op het nachtkastje, voor het geval hij de gewoonte had midden in de nacht iets te eten.

Vasja vouwde zijn handen in gebed om mij te bedanken, maar ik wilde niet dat hij de spot met me dreef.

Even daarvoor, toen ik hem hielp zijn pyjama aan te trekken, had ik op zijn arm een woord getatoeëerd gezien en bulten en een tiental naar grijs neigende vlekken op de rest van zijn huid, maar ik had hem niet gevraagd of die met een of andere crème moesten worden verzorgd. Aangezien hij bij het in bed gaan kreunde dat zijn gewrichten pijn deden, raakte ik hem liever niet aan om hem niet nog meer pijn te doen. Meteen daarna leek hij rustiger, alsof de koele lakens hem verkwikten. En opnieuw begon hij met die ogen van hem, die in zijn omgeving naar bedreigingen leken te zoeken, alles op te nemen. Ik controleerde of het raam was gesloten en het rolgordijn neergelaten, hier kon hem geen kwaad gebeuren. Ik ben bang, zei hij met een verontschuldigende glimlach.

Angst, op zijn leeftijd. Wanneer het er allemaal niet meer toe doet.

Het scheen dus van niet. Juist het tegenovergestelde.

Hij zei het meerdere malen. Ik ben bang en ik herinner me weinig meer. Alleen dat ze me willen vermoorden.

We deden er een moment het zwijgen toe, alsof hij en ik onszelf zo konden dwingen te achterhalen wat hij zich niet herinnerde. Totdat zijn ogen dichtvielen. Slapend voelde hij zich wellicht beschermd.

De volgende ochtend zou ik een dokter halen om naar de vlekken op zijn huid te kijken, en daarna een fatsoenlijk onderdak zoeken. Het tehuis van de nonnen.

Gebruikmakend van de gelegenheid dat Vasja het nu niet merkte, doorzocht ik de tassen. Ik haalde er kleding uit, vooral voor de winter. Twee overjassen. Flanellen onderhemden. In de etiketten stonden Russische, cyrillische lettertekens die niet meer moesten voorstellen dan de naam van de kledingfabriek. Ik keek alle zakken na, maar vond zelfs geen portefeuille, zoals ze me al bij de Franse SAMU Social hadden gezegd, en ook geen medicijnen die me konden vertellen welke ziektes hij had, of zijn bloeddruk goed was. Ik trok een stoel bij het bed en ging bij Vasja zitten. Toen ik de omslag van het laken recht wilde trekken, zag ik onder de mouw van de pyjama het getatoeëerde woord tevoorschijn komen. *Samosjol.*

Ik herinner me kinderen, zei hij, dat wel, en behoorlijk goed nog wel. Vasja herinnerde zich de gezichten van de kinderen die naar hem toe kwamen. Ze klopten en staken hun hoofd om de deur. Daarna vroegen ze toestemming, welopgevoed.

Ze moesten hun kleren van hun middel naar boven uittrekken. Elk van hen had een speelgoedje in zijn hand. Of anders een uitgeknipte beer, of een koe of een eland, afhankelijk van hoe je ernaar keek, waarmee ze ertoe werden overgehaald naar Vasja te gaan of naar de radiometrist die met hem meekwam. Wanneer ze teruggingen naar hun klas moesten ze dat aan het volgende kind geven, zodat de geknipte plaatjes van hand tot hand gingen, want de juffrouw had het aan plezier ontbroken om er voor ieder kind een te tekenen.

Het kind met het veelkleurige jasje had geen knipplaatje noch een speelgoedje, maar een fles water. Hij moest voortdurend drinken omdat hij onophoudelijk moest plassen, had de juffrouw op een briefje geschreven dat met een veiligheidsspeld op zijn jasje zat. Ze hadden geprobeerd hem luiers aan te doen, maar hij schaamde zich en wilde dat niet, dus had hij de hele dag een natte broek. En de anderen wisten het al en waren opgehouden erom te lachen. Lacht u alstublieft ook niet.

Tachtig procent van de kinderen van die school had eerste- of tweedegraads hyperplasie. Sommigen vielen flauw wanneer ze hun dagelijkse, steeds minder intensieve oefeningen in de gymnastiekzaal deden.

Vasja herinnerde zich de kinderen en ook de naam van de dorpen waar ze woonden. Polesskoje, vlak bij een schitterende rivier. Kinderen uit Olamny, uit het besneeuwde Slobodka. Een lange gang, deuren aan beide kanten, waardoor ze aan de hand van een verpleegster de zaal binnenkwamen waar hij de stralingsmeter opstelde. Die functioneerde als volgt: de persoon gaat zitten, leunt met zijn rug tegen een plaat die in de rugleuning zit, en de straling die uit het lichaam komt produceert iets wat op een lichtbundel lijkt. Energie in de vorm van gammastralen. Achter het glas zit een fotomultiplicator die het licht omzet in een elektrisch signaal. Dat signaal gaat naar een elektroscopische geleider waarop te zien is of de isotoop uit kalium, cesium-137 of cesium-134 bestaat. Een computerprogramma maakt de berekeningen. Het geheel wordt Spectrometer voor Menselijke Straling genoemd. Bijzonder eraan is dat hij vervoerd kan worden, je hoeft niet naar Minsk te reizen of naar andere hoofdsteden om het niveau van de besmetting met cesium-137 te meten.

Binnen drie à vier minuten is de hoogte van de interne radioactiviteit bekend, die in het geval van een kind niet hoger mag zijn dan 10 tot 15 becquerel per kilo lichaamsgewicht. Maar de gezondheidsinstanties bepaalden het maximum op 50. Later 70, en zelfs 110, verder gingen ze niet. 37 Becquerel is te veel, maar onder die omstandigheden kan het als een aanvaardbare hoeveelheid beschouwd worden.

Kinderen die bloedneuzen kregen, die al vermoeid raakten als ze alleen maar een paar treden de trap op hoefden te klimmen. Kinderen die ze in de pauze niet naar buiten lieten gaan, dat was precies wat Vasja zich herinnerde van zijn reizen door de districten Bragin, Narovlja en Chojniki.

Een jongetje dat vrolijker was dan de anderen, vertelde hem: Soms beven mijn handen. Eerst was ik er bang voor, ik dacht dat ik doodging. De zoon van mevrouw Jodisjok is dood, mijn vriendje Viktor is dood, en de jongen naast mij in de klas werd met een opgezwollen keel naar het ziekenhuis van Sivitsa gebracht, hij kon haast niet ademen en moest de hele dag hoesten. Maar ik ben blij, want ik ben nog niet dood. Mijn moeder geeft me een siroop.

De verpleegster legde toen uit dat het Biophilite was, een vitaminecomplex.

Ze huilen vaak en wanneer je ze het vraagt weten ze niet waarom, vervolgde de verpleegster. Ze zien dat hun ouders ook ziek zijn, sommigen kunnen niet eens opstaan en klagen de hele nacht over pijn. Mostovskoj, het jongetje dat op de tweede bank zit, heeft een oom die als kok op de school werkte. Hij verrichtte wonderen door met één kip van de collectieve boerderij iedereen te eten te geven. Zal ik u wat zeggen? In een maand tijd vergat hij alle recepten, hij kon nog geen aardappels met groente meer koken. Wij zeiden tegen hem: Toe nou, meneer Zajtsjoek, schrijf het dan op. Straks komt uw neefje er nog achter.

Hij lag dubbel van het lachen. Haha, een neefje, zei hij, dat is een goeie.

Op een dag kwam hij niet meer. Tot op de dag van vandaag. We hebben geen idee van meneer Zajtsjoek, of hij in het bos is verdwaald of dat hij een bus heeft genomen en is vertrokken, dat is wat er wordt verteld.

De kinderen mogen geen honden of katten houden, het zijn dorpskinderen die eraan gewend zijn huisdieren te zien rondlopen en ze begrijpen het niet. De hond van de kleine Vsevolod, dat jongetje daar, ziet u hem, die heel magere die naast de kachel zit, nou, zijn hond moest worden afgemaakt en hij zag het vanuit het raam. Sindsdien hebben we er nog een die in zijn broek plast. Elke dag twee of drie keer.

Het probleem is dat die beesten ontsnappen, ze lopen ongehinderd overal heen, gaan waar ze niet moeten gaan en komen dan terug, de kinderen raken ze aan en dat kan niet. Alleen vogels, in een kooi natuurlijk.

Het speelkwartier moesten ze in de aula doorbrengen, om beurten, de ene klas na de andere. Zo luidde het reglement, de open lucht was verboden. Maroesja Bobrova, de directeur van de school, vertelde dat een paar mannen met mondmaskertjes met hun geigertellers de radioactieve plekken opnamen en ze op een plattegrond van het dorp tekenden. Als er binnen die cirkel een bal terechtkomt, dan laat je hem daar liggen.

Aangezien de cirkel dicht bij een vlak veldje was waar de kinderen speelden, verzamelden zich daar ballen die niemand durfde terug te halen. Uiteindelijk liepen ze leeg. Een stuk of twintig ballen, kom maar kijken, vanaf dit balkon zijn ze te zien.

Daarna trokken de autoriteiten rode lijnen over de straten van het dorp.

Door die tuin daar mag je niet lopen, horen jullie het goed, jongens? Er komt geen dag waarop het beter gaat dan op andere dagen, en ook geen jaargetijde. Zelfs niet als jullie oud zijn. Nooit betekent nooit. En in dat bos mag niets worden geplukt. Geen bessen en geen paddenstoelen. Zien jullie dat pad dat door het grasland loopt, zei Maroesja Bobrova tegen de kinderen terwijl ze ernaar wees. Vergeet het, want het bestaat niet. Moet ik het herhalen? Ook de dieren niet die daar langs kunnen komen. En ook de vissen in de vijver niet, verboden er dichtbij te komen, morgen zal ik meneer Valik opdracht geven er een heel groot bord neer te zetten. Verboden te vissen.

Maar de regen wiste de rode lijnen uit en niemand had ze opnieuw geschilderd.

Aan het einde wilden de kinderen een paar volksliedjes voor Vasja zingen, als dank dat hij met zijn apparaten naar de school was gekomen. De Spectrometer voor Menselijke Straling. Hij stribbelde tegen met de verontschuldiging dat hij in andere dorpen werd verwacht. Dat was ook zo. Daarna moest hij nog rijden, vanwege de sneeuw moest hij langzaamaan doen, het zou laat worden.

Maar uiteindelijk bleef hij, het waren zulke gehoorzame kinderen geweest. Vasja pakte dus de stoel van de juffrouw, zette die midden op het podium en ging zitten. Hij drukte zijn knieën tegen elkaar en richtte zijn hoofd op zodat hij goed naar de melodieën kon luisteren en geen noot zou missen. Hij trok een plechtig gezicht, dat vonden de kinderen erg fijn. Op sommige momenten sloot hij zelfs zijn ogen en sloeg hij met een hand de maat, maar op andere momenten observeerde hij hun gezichten liever zodat hij zich die zou herinneren wanneer hij na een paar maanden terug zou komen met zijn spectrometer en met de potten pectine om te kijken hoe het ging: Jij vertelde me dat je stem trilde, en nu, hoe gaat het nu, is het al wat minder? En die jongen van de fles water? O, is die er niet meer.

En het meisje met de uitgeknipte beer?

Ook niet, die is naar het ziekenhuis gebracht.

De juffrouw liet ze opstaan, op volgorde van grootte, hoewel een enkeling dat niet hoefde, omdat hij zich niet goed voelde, en met een liniaal tikte ze de maat op de tafel. Totdat ze begon te zingen en de kinderen haar volgden. Eerst bedeesd, later zongen ze zo hard als ze konden.

Liedjes die over lieve moeders gingen. Andere over de eerste liefde die met het voorjaar zal arriveren.

Valeri Krapyvin, van het Bureau voor de Watervoorziening, zit aan de telefoon: 'Een paar dagen na het ongeluk met de centrale raadde minister Romanenko de bevolking aan de ramen te sluiten. Ook moest men de schoenzolen schoonmaken voordat men naar binnen ging. En een vochtige doek over de meubels halen. Dat was erg goed.'

Jakov Vasiljev heeft het geschreven, als commentaar bij een foto van een dode koe midden op een autoweg: 'Eerst moesten we melk drinken. Toen weer niet, want die was besmet (de koeien eten gras en in het gras, zeiden ze, zit de meeste straling). Jullie kunnen beter water drinken, alleen water. Heel veel water, dat wel. Het lichaam moet vocht krijgen zodat de radioactieve deeltjes met het zweet en de urine verdwijnen. Later kwamen ze met het verhaal dat het water ook besmet was, vooral dat uit de vijvers en de spaarbekkens. Dus doe maar niets speciaals, gewoon doorgaan met je leven. Zoals voorheen. Nou ja, hoe zit het nou, zei ik tegen hen.'

'Het wereldkampioenschap voetbal was aan de gang' (dat van Mexico 1986) schrijft soldaat Roman Kozak onder een foto van een verlaten huis. 'Omdat ze volstrekt geen medelijden met ons hadden, stond er in het bijgebouw van het Janov-station geen televisie, geen radio, niets om de wedstrijden volgen. Dus toen we dit huis in de buitenwijk van Krasnopolje binnengingen en er een televisietoestel zagen staan, knielde Dmitri, die in de aspirantencategorie van Dinamo Kiev traint, op de grond en bad de hemel dat-ie het zou doen. En hij deed het! Engeland en Argentinië speelden, en we waren opgetogen zolang de wedstrijd duurde. We juichten bij ieder schot van de voorhoede, Dmitri analyseerde voor mij de tactiek. Daarna pakten we onze wapens, vertrokken weer naar het bos en gingen door met het doden van beesten. Dat was onze missie. We zaten achter een meute honden aan. Om lijden te voorkomen. We waren uitgelaten en we richtten zo zuiver mogelijk. Want door Maradona te zien spelen was onze moraal omhoog geschoten. Vooral bij Dmitri, die zich de schijnbewegingen inprentte om ze later bij Dinamo Kiev in de praktijk te brengen. Maradona, een voetballer van een andere planeet.'

'Katja Badajeva beoefende de prostitutie. Ze ging van dorp naar dorp, ze noemden haar de Hoer van Allerzielen. Lieve Katja Badajeva, doe je best, zeiden we. Op een dag vertelde ze dat ze van ons walgde, dat alle mannen uit de omgeving waren gaan stinken. Zonder verdere uitleg. En dat ze ermee ophield. Zo gezegd, zo gedaan: ze liet ons in de steek en ging haar beroep in het Tsjeljoeskintsypark uitoefenen. We missen haar. Als je dit ooit leest, Katja Badajeva, kom terug.'

'Ik heb daarentegen niets concreets te vragen. Ik pleit voor berusting.'

'Wel, ik pleit voor plezier.'

De man nam een koekje. Toen vroeg hij waarvan ze waren gemaakt, of er stukjes bosbessen in zaten. Zijn naam, Mikola Sidorak.

Ga daar zitten. Die kin omhoog. En je rug recht en stevig tegen de leuning. De verpleegster wilde hem gaan helpen, maar toen zag ze net een losse draad aan de mouw van haar vest die achter een ring was blijven steken, en raakte ze geïrriteerd. Kom op, luister, zei ze bot. Ze pakte hem bij zijn arm en trok hem mee naar stoel. Daar. Kleed je uit. Het jongetje, dat net was gaan zitten waar het hem was gezegd, stond weer op, maakte haastig zijn broek los en liet hem op de grond zakken. Nee, nee, alleen van je middel naar boven, zei de verpleegster toen ze het zag. Ben je onnozel, soms?

In Teremtsy sneeuwde het. Vasja wilde het niet te laat maken. Dan zou hij in het dorp moeten blijven en daar overnachten. Op een matras in de school blijven slapen was een vervelend vooruitzicht, hoewel het huis van directeur Dmitri Jermakov erger was, een man die niet in staat was een moment zijn mond te houden, dus zei hij dat er geen tijd meer was voor andere kinderen en dat dit de laatste was voor vandaag.

Naam?

Semjon Pozjar.

Vasja schreef het op een vel papier, trok met een liniaal een streep. Hier, in deze kolom, komen de gegevens.

Heb je ergens pijn, Semjon?

Mijn buik.

Vasja schreef het op.

Vertel eens vanaf wanneer.

Het kind haalde zijn schouder op. Ongeveer. Een maand? Twee? Geen glimlach, geen enkele uitdrukking in zijn gezicht. Vasja probeerde het met een omweg. Je houdt zeker wel van spelen, zei hij.

Semjon Pozjar bleef zwijgen. Iemand moest hem hebben gezegd dat hij niet mocht praten voordat ze hem wat hadden gevraagd, en het leek of hij die fatsoensregel wilde overtreffen en een goede indruk wilde maken door zelfs te zwijgen als hem wel iets werd gevraagd. Zijn gebit was een complete ruïne, maar hoe lelijk ook, hij compenseerde dat compleet met zijn blik en met een stem die niet uit een duidelijk aanwijsbare plek in zijn lichaam leek te komen, zo mager was hij. We doen hardlopen, zei hij.

En jij wint steeds.

Semjon Pozjar gaf met een half glimlachje toe dat Vasja het bij het juiste eind had.

Je weet dat je niet moet hardlopen, daarna ben je uitgeput.

En ik krijg een bloedneus.

Altijd wanneer je hardloopt?

Bijna altijd. En als ik rustig blijf ook.

Vasja prutste aan de apparaten en bestudeerde de verticale curve in de grafiek die op de computer te zien was. Kijk nou eens, wat daar allemaal uitkomt.

Ga ik dood?

Niet als je naar me luistert.

Semjon Pozjar keek een andere kant uit.

Vasja bekeek het computerscherm. Hij zette een cijfer bij de naam van het kind en liet het de verpleegster zien.

1536 becquerel per kilo, dat was ongeveer dertigmaal het maximum dat volgens het MINZDRAV, afkorting voor *Ministerstvo Zdravochranenia*, het Ministerie van Volksgezondheid, was toegestaan. Van welk eten houd jij het meest?

Semjon Pozjar dacht even na. Toen haalde hij opnieuw zijn schouders op. Maar ga ik dood?

Ik heb je al gezegd van niet. Zeg me wat je eet.

Paddenstoelen.

Eet je alleen paddenstoelen?

En jam. Die had mijn vader gemaakt voordat hij naar het ziekenhuis werd gebracht.

Wat voor jam?

Van bosbessen. En ook van bramen.

Vasja noteerde het eetpatroon op de kaart van Semjon Pozjar. Jam en paddenstoelen. Heel goed. Hij stond op het punt hem naar zijn vader te vragen. Of hij beter werd. Maar achter de rug van de jongen legde de verpleegster haar vinger op haar lippen zodat hij zou zwijgen.

Daar werd niet over gesproken.

Over de loden kist waarin mijnheer Pozjar begraven moest worden, werd niet gesproken, legde ze hem later uit.

Jam, ging Semjon verder. Dat vind ik erg lekker. Dat is mijn lievelingseten, en aardappels. Ik hoop dat mijn vader terug is voordat ze op zijn.

En slaap je 's nachts goed?

Soms wel, soms niet.

De verpleegster zei Semjon op te staan, hij kon zich wel aankleden. De jongen maakte er zo'n toestand van met zijn trui dat hij vervolgens niet meer wist waar zijn hoofd doorheen moest. Daarna kreeg hij een fles Vitapect, op basis van appelpectine. Dit drink je met water. En over drie of vier maanden zien we je weer. Neem je het niet in, dan moet ik met je moeder praten. En geen paddenstoelen meer. Hebben jullie geen kippen thuis? Semjon Pozjar keek hem verbaasd aan.

Kip-pen. Zeg je moeder dat ze er twee of drie koopt. En dat ze groente zaait. En water, waaruit drink je water?

Er is een put.

Is er naar de put gekeken?

Dat weet ik niet.

En maken jullie vuur in de kachel of hebben jullie gas?

Nee, vuur.

Dacht ik al, en het hout komt natuurlijk uit het bos.

Semjon Pozjar kreeg genoeg van al die vragen, maar hij wilde ook niet terug naar de sleur van de klas. Water, hout, wat wist hij daar nou van.

Vasja keek op de klok. Hij scheurde een blaadje uit het notitieblok en schreef de aanbevelingen op die de kleine Pozjar samen met een folder van BELRAD mee naar huis moest nemen. Voedsel moest zes uur in water met zout staan, groenten, fruit, wat dan ook. Daarna moest het water worden weggegooid en weer van voren af aan. Tot driemaal toe. Daarna kan het gegeten worden. Eigenlijk kan het gegeten worden omdat er niets anders op zit dan in ieder geval iets te eten.

De jongen vouwde het briefje op en stak het weg. Hij gaf een paar klopjes op zijn zak, daar zat het veilig.

Vertel me eens, wat wil je worden als je groot bent.

Semjon Pozjar zei onmiddellijk: gitarist.

Hij had een liedje geschreven voor elk van de gezinsleden, inclusief het vogeltje. Wat hij voor zijn vader had gemaakt herinnerde hij zich nou precies niet. Maar als Vasja wilde kon hij het neuriën. Maar het mooiste vond hij het liedje voor het vogeltje Anatoli:

Vogeltje Anatoli, vogeltje Anatoli,
het vriendje van de kinderen ben jij.
Vogeltje Anatoli, vogeltje Anatoli,
eens kruip ik in je kooitje met jou erbij,
dan piepen we samen, ik en jij.

Jana Ledneva vroeg me in mijn oor of ik al besloten had een ander leven te beginnen. Ik gaf geen antwoord. Omdat het me zo bezighield en omdat ik wilde proberen het uit mijn hoofd te zetten door het te delen, ontsnapte me bijna dat ik een zekere Vasja in huis had genomen, die ik niet kende, hij kende zichzelf niet eens, alleen stamelde hij soms woorden in het Frans en in een taal uit het Oosten, en hij herhaalde steeds dat hij gezichtjes van kinderen zag, met een speelgoedje in hun hand, honden, een verlaten stad, bijna niets anders. En dat ze hem wilden doden.

En ik zeg haar bijna ook dat dat nieuwe leven zich onder dergelijke omstandigheden al lijkt te voltrekken en, zo dat niet het geval was, het moest worden uitgesteld totdat Vasja onderdak had in een fatsoenlijk tehuis. Natuurlijk zou het, nu ik toch in Parijs was, veel beter zijn als ik de vrouw vond die hem in het zelfbedieningsrestaurant had achtergelaten en hem aan haar terugbezorgde.

Op dat moment arriveerden Salcedo, Montignoso en drie trainees die een plekje wilden in de ploeg van het bestuur dat Jöhri moest vervangen. Voordat we ons terugtrokken in een zaal voor de eerste vergadering nam ik Jana Ledneva apart, en om haar hartstocht brandend te houden fluisterde ook ik haar in het oor: Ik zou niets liever willen dan een ander leven.

Maar ik moest haar en mijn gast Vasja gedurende een aantal uren vergeten, want ik moest de gedelegeerden ervan overtuigen voor mijn kandidatuur te stemmen. Ik doorstond de ene vergadering na de andere, conform de agenda van Salcedo, en legde aan iedereen uit dat ik van plan was om van ons systeem om het Kilogewicht te berekenen het definitieve ijkpunt te maken. Daarvoor, vertelde ik in de opeenvolgende bijeenkomsten, had ik de helft plus één van de gedelegeerden én van de fondsen nodig, en een nieuwe voorzitter, een die veel dynamischer was dan Roland Jöhri. En omdat men het er toch over had, suggereerde ik van mijn kant de naam van Montignoso, ik zei dat onze ideeën naadloos op elkaar aansloten en dat dat dezelfde ideeën waren als die van Jana Ledneva en Carolina Pompeo, de laatste van de Sectie Kelvin en de eerste van de Sectie Mol. Met mij erbij drie van de zeven.

Moe van het verdedigen van mijn standpunten vertrokken Jana Ledneva en ik aan het einde van de middag uit het Véfour. We namen een taxi die ons naar het centrum van Parijs bracht, we wilden de tijd verdrijven met het over koetjes en kalfjes hebben, misschien wel naar de Folies te gaan. We stapten uit op de Champs-Élysées, tegenover het standbeeld van een toegewijde Churchill, en toen we ter hoogte van het zelfbedieningsrestaurant waren sprak ik hardop het woord *Samosjol* uit.

Ik vroeg het aan Jana. Ze was Russische en moest het weten. Wat betekende *Samosjol*?

Samosjol. Hé, waar heb je dat woord vandaan? Dat heeft te maken met de evacués van Tsjernobyl.

Ik nam haar bij de arm en ik vroeg haar met mij het zelfbedieningsrestaurant binnen te gaan.

Zo noemen ze degenen, ging Jana Ledneva verder, die naar hun huis zijn teruggegaan.

We gingen in de rij staan achter een jong Noord-Afrikaans stel, daarna zochten we een tafeltje vanwaar de boulevard te zien was.

In zekere zin is het een scheldwoord, ging Jana verder. Ze gaan terug omdat ze geen andere plek hebben om naartoe te gaan. *Samosjol,* dat is het. Zoals armen, of je bent een ezel. Niemand wil ze hebben.

We openden onze doosjes en in gedachten verzonken begon ik te eten. Totdat ik de bediende met de fantasiebril zag en hij mij. Hij snelde naar beneden naar de eetzaal op de begane grond en hij moet het directiekantoor zijn binnengegaan om zijn chef te waarschuwen, want geen minuut later zat gerant Parveaux naast me.

Hij kwam met een chequeboekje met vijfentwintig tegoedbonnen voor gratis maaltijden, die tot drie maanden geldig waren. Dat was als genoegdoening, zei hij. En hij kon er nog vijfentwintig halen voor mijn schone gezelschap.

Meneer Parveaux voegde eraan toe:

Want het spijt me dat ik u wellicht schade heb berokkend en al die overlast in verband met uw aanhouding onlangs.

Maar verplaatst u zich in mijn situatie, het was niet de eerste keer dat zoiets in een van de restaurants van onze keten gebeurde en we hebben opdracht van hogerhand, begrijpt u?

Mijn baan stond op het spel, ik heb een gezin.

Toen nam hij een foto uit zijn portefeuille en hield die mij onder de neus. Ik hoefde niets te zien, ik geloofde hem. Maar hij drong zo aan dat ik de foto aannam. Een doorsnee echtgenote en twee gluiperige kinderen, dat was wat ik zag.

Maar tot op de dag van vandaag heb ik niet geweten… rond het middaguur komt er ineens een man binnen die zegt, hij komt binnen en zegt met een vreemd accent, ik geloof dat mijn vader hier is geweest, zegt-ie. Hij zegt, vertel me dat u hem heeft gezien. Want hij is weggegaan en omdat hij alles vergeet, moet hij niet geweten hebben hoe hij terug moest komen. Hij zegt, hij is hier in de buurt gezien en ik ben al vragend en zoekend in de metro en in winkels bij uw restaurant uitgekomen.

Toen begreep ik dat die ouwe niet van u was. Een man zus en zo, heb ik gevraagd. Dan is uw probleem voorbij, meneer. Ik zei gaat u naar Le SAMU Social, en hij omhelsde me en gaf me een hand. Of nog beter, ik ga met u mee. Dus zijn we er samen in zijn auto heen gegaan. We kwamen bij het loket van Le SAMU Social en ik zeg: Ik zeg: we zoeken iemand die u onder uw hoede hebt.

Ze vinden zijn kaart, hier is-t-ie. En vervolgens zeggen ze dus dat hij met u mee was gegaan. Naam? Telefoon? Adres? Ze hebben ons alles gegeven, maar dat was in Spanje.

O, maar dan ben ik weg, ik ga hem meteen ophalen, zegt de zoon zodra hij uw adres, op een papiertje genoteerd, had gekregen.

Kortom, die zoon zit nu misschien daar, in uw huis, want zover ben ik niet met hem meegegaan, dat is een reis van duizend kilometer of meer. Hij staat al voor de deur, of zit op z'n minst al op de snelweg, die auto's van het merk Lexus rijden hard.

Dit soort gevallen is niet zo uitzonderlijk, zeiden ze tegen me bij Le SAMU Social toen die zoon er niet meer bij was, want hij had zo veel haast om zijn vader op te halen dat hij niet eens afscheid nam, hij was ineens weg. Dat is wat er gebeurt wanneer de vergissing wordt begaan een oude man aan de verkeerde toe te wijzen, vertelde me een zekere cheffin Gaillard, maar zo is de regel: nooit bij Le SAMU houden, alleen als er niks anders op zit.

En nou verschijnt u opeens.

Ik dacht eerst dat u een verontschuldiging kwam eisen, en ik verontschuldig me, heel nederig. Of misschien een compensatie, maar dat gaat te ver.

Maar goed, zand erover en doe uw voordeel met dat chequeboekje voor vijfentwintig maaltijden. En voor haar, zei hij met een blik op Jana, en hij klikte met zijn tong zodat de bediende met de paarse bril die achter hem stond op zou letten, Bernard, haal voor haar nog zo'n chequeboekje van vijfentwintig, wat vindt u daarvan, nou?

Nu moet ik terug naar mijn kantoor, tot ziens.

Meneer Parveaux kwam overeind en vertrok. Jana Ledneva had haar vegetarische maaltijd voor de helft laten staan. En ze keek me aan.

O nee, het gitaarspelende jongetje is er niet meer, zei Dmitri Jermakov van de school van Teremtsy vier maanden later tegen Vasja. 1536 Bq/kg was te veel. Semjon, zo heette de kleine van Pozjar. Hij kreeg koorts en die was met geen mogelijkheid omlaag te krijgen. Herinnert u zich zijn gezicht? Hoewel, u ziet zo veel kinderen dat als u zich het gezicht van elk kind moet herinneren, daar ben je mooi mee.

Nou, let op, ik herinner me hem, zei Vasja. En het liedje dat hij maakte voor zijn vogel Anatoli.

En het gezicht van Nadezjda herinnerde hij zich nu ook heel goed, een rond en angstig gezicht, en van Viktor Koedrjagin uit het dorp Malinovka.

De kleine Pozjar begon moeilijk te praten, hij struikelde over iedere zin, ging Dmitri Jermakov verder. Hij vond de goede woorden niet, stotterde. Zijn hals zette op en toen zagen we dat er niets aan te doen was. Krop, nou ja, struma.

Nu komen er een paar andere namen boven, zei Vasja. Ljoedmila met haar tekeningen, om precies te zijn eentje die heette: *Afscheid van mijn hondenvriendje*. En ook Antonina die in een taal zong die ze volgens haar zelf had bedacht. En de kleine Klavdia uit het dorp Zjoekov Loeg, die zonder benen geboren was, in plaats daarvan had ze stompjes. Ik herinner me het gezicht maar vooral de doorschijnende handen van Slava.

De kinderen gaven me hun tekeningen.

Bedankt dat u bent gekomen om ons beter te maken, schreven

ze achter op de tekening. Maar het enige wat Vasja deed, was hun straling opmeten en ze Vitapect geven.

Daarna haalde hij zijn stralingsmeter uit elkaar, legde hem in de kofferruimte van zijn auto en vertrok naar een andere plaats. En elk trimester stuurde hij zijn statistieken naar de regering.

Sommigen werden niet beter, zoals Aleksandr Lasy uit Polesje, die in november 1064 Bq/kg had en een maand later al niet meer naar school ging.

Of Sergei Polenok die van 626 Bq/kg naar 676,5 was gegaan. Hij had koorts en de becquerels waren bijna in zijn blik te zien.

Met dit jongetje gaat het daarentegen veel beter. Op de kaart van mijn eerste bezoek heb ik 173,6 Bq/kg genoteerd en na het innemen van de pectine geeft hij nu 137,8 aan. Want jij bent Nikolaj Pokoesov, toch?

Het kind knikte met zijn hoofd.

Nikolaj Nikolajevitsj Pokoesov. Geboren in 1990. In Nisimkovitsji.

En deze andere, Jevgeni Kozjemjakin. Die gaat van 79 Bq/kg naar 44,3. Ook niet slecht, helemaal niet slecht.

Jekatarina Mihajlovna Horkoenova: van 145,1 Bq/kg naar 108,2.

Jekatarina uit Zalesje?

Ja.

Zeker weten?

De verpleegster moest gaan zitten. Ze verborg haar gezicht in haar handen. Intussen noteerde Vasja alles voor zijn *Verslag van de radiologische controle van de kinderen van de districten Vetka en Tsjatsjersk in de regio Gomel, 2006.*

En deze, die uit het gehucht Beljajavka komt, Mihail Savenko: van 54,7 Bq/kg naar 39,4.

Kijk eens naar Aleksandra, Aleksandra Petrovna Tsjoebinets uit Svetilovitsji. Die gaat van 217,7 Bq/kg naar niet meer dan 93 becquerel. We hebben het kwaad tot minder dan helft gereduceerd.

De verpleegster wilde Vasja omhelzen, maar ze vroeg hem eerst om toestemming. Ze huilde. Zoiets had hij niet verwacht en hij voelde zich in het nauw gebracht, want de verpleegster was een vrouw van een zo ontegenzeglijke schoonheid dat het verlegen maakte. Bovendien wist hij niet of een omhelzing wel mocht, zo voor het oog van de kinderen. Maar ten slotte stemde hij toe. Hoezo zou blijdschap niet mogen. Hij deed de spectrometer uit, legde de papieren op de tafel en opende zijn armen. Grote, heel grote blijdschap. Laten we tevreden zijn. Nikolaj Pokoesov, Jevgeni, Jekatarina, Mihail Savenko, Aleksandra Tsjoebinets.

Kijk maar goed, kinderen, zei de verpleegster terwijl ze met een balpen naar hem wees, hij is het leven.

Nu herinner ik het me: Nesterenko. Vasili Nesterenko geeft het leven, zongen die gezichtjes. En ze klapten allemaal in de handen. En wie konden, gingen staan. Glimlachten. Vasja, leve Vasili, professor Nesterenko.

Dat herinner ik me. Nesterenko is het leven.

Adela, ik ben het. Alles in orde? Met jullie beiden? Heeft er iemand gebeld? Adela, vertel.

Neem die oude en ga daar onmiddellijk weg. Dat zei ik wel, meteen. Ik zeg toch van wel, Adela. Onmiddellijk. Maak hem dan wakker. Doe hem een jack aan.

Ik meen het.

Dat weet ik niet, een jack van mij, wat doet dat ertoe. Of met wat hij aanheeft. Maar er is haast bij.

Luister. Het is mijn vader niet. Ik vertel het je wel. Maar doe nu wat ik je zeg. Wil je naar me luisteren? Nee, Vasja is niet mijn vader.

En degenen die naar hem op zoek zijn kunnen voor hetzelfde geld elk moment arriveren. Dat zei ik, ja. Ja. Ik zei dat ik niet weet wie het zijn. Vasja zegt dat ze hem willen, oké, niks. Nee, niks. Ik heb gezegd niks.

Luister nu, Adela. Wacht. Inderdaad. Jij haalt hem daar weg en brengt hem naar een hotel, of naar een of ander familielid van je. Nee, beter een hotel.

Dat weet ik niet, waar je maar wilt, zei ik. Dat lijkt me goed, zei ik. Belangrijk dat het meteen gebeurt. Binnen de minuut.

Ik zei van niet, niet bang worden maar rennen. En als je niet genoeg tijd hebt en ze bellen plotseling aan. Oké, dat zei ik, dat gebeurt niet, maar als het gebeurt doe dan niet open. Doe zolang de deur op slot. En als jullie klaar zijn, kijk dan eerst door het spionnetje.

Adela, dat doet er nu niet toe. Nee, daar is geen tijd voor, laat maar staan waar het staat.

En ga langs de trap naar beneden, niet met de lift. Kijk eerst op elke overloop.

Maar haast je. En daarna bel je me en je vertelt me waar je hem hebt gelaten. Ik vertrek nu, ik ben al onderweg.

3

In een interview met Galia Ackerman* spreekt Vasili Nesterenko over het Pamir-project; zo heette het in het Kremlin in de jaren zeventig.

De naam is afkomstig van de bergen in Centraal-Azië en roept de koude nachten op in de regio Gorno-Badachsjan, waar zich de cilinder van de K-2 verheft. Het betrof de militaire onderzoeken waarmee de Sovjets, hadden ze een beetje meer tijd gehad, het *Strategic Defense Initiative* van Ronald Reagan hadden kunnen neutraliseren. En wellicht hadden ze de Koude Oorlog niet verloren. Maar toen ontplofte Tsjernobyl.

In het Pamir-project werkten 110 fabrieken en laboratoria verspreid over alle Sovjetrepublieken samen. Er waren vestigingen in Kiev, in Tallin, in Kitsjinjov, in Tblisi, in Jerevan. Het werd gecoördineerd door Vasili Borisovitsj Nesterenko. Vasja. Hij was de chef-constructeur en bovendien directeur van het Instituut voor Nucleaire Energie van Wit-Rusland. Hij reisde wekelijks naar Moskou en vergaderde in het Kremlin met de Militair-Industriële Commissie van de Ministerraad van de Sovjet-Unie. Een man beschermd door het regime, dat was Vasili Nesterenko.

Het idee van het Pamir-project was het volgende. Aangezien de Amerikanen satellieten hadden waarmee ze feilloos het doel konden bepalen waarop ze hun raketten wilden afvuren, kwamen de Sovjets op het idee hun ss-20 en ss-25 te laten rondtrekken. Zo zouden ze de aanval misleiden. Daarvoor bouwden ze speciale transportwagens, en omdat het duizendpoten leken vanwege de vele wielen waarop ze reden, hielden ze die naam. Maar er was een probleem en dat was dat er betrouwbare en krachtige energiecentrales nodig waren om de lancering van de ss-20's en de ss-25's van energie te voorzien zodat ze andere continenten konden bereiken, en die even mobiel waren als de raketten om ze achterna te kunnen reizen. Met de bestaande groepen generatoren die op diesel draaiden, was de kans van slagen nauwelijks twintig procent.

Zodoende gaven de autoriteiten de Academie van Wetenschappen de opdracht een vernuftige oplossing te bedenken. Er waren fysici die onmiddellijk met hun ideeën kwamen. Vasili Nesterenko, in de voorhoede van de atoomenergie, slaagde met de opstelling van een gedurfde verhandeling. De uitdaging was enorm. De kosten, miljoenen roebels. Hij kreeg de opdracht.

Vasili Nesterenko ging naar Wit-Rusland en begon te werken aan een atoomfabriek die zo licht was dat hij van de ene naar de andere plaats vervoerd zou kunnen worden. In steriele ruimtes, galerijen, proefzalen, laboratoria behaalde hij successen en mislukkingen. Duizenden uren werk vereiste Pamir van hem en zijn assistenten, de beste fysici van de Sovjet-Unie stonden tot zijn beschikking. En talloze geigertellers om mogelijke atoomlekken op te sporen.

Veertien jaar later leverde hij de eerste mobiele atoomreactor af. Het was een apparaat van een halve meter doorsnee, dat plusminus vijftig kilo uranium bevatte en vijfhonderd kilowatt kon opwekken. De rapporten hadden het over een fabriek in de stad Minsk, ongeveer twintig kilometer van de laboratoria waar de proeven werden genomen, die in staat was twintig lichte reactoren per jaar te bouwen.

Een paar duizendpoten waren genoeg om de reactor en zijn raketten van de ene naar de andere plaats te vervoeren, waardoor ze een bewegend doel werden. En waar het terrein te geaccidenteerd was of er geen wegen liepen, kon er gebruik worden gemaakt van helikopters voor zwaar transport. Het militaire systeem bepaalde dat de manschappen eerst de raket naar de gekozen plek brachten en dat daarna de reactor arriveerde. De kabels werden verbonden, het bedieningspaneel op ongeveer honderdvijftig meter geïnstalleerd. Er was niet meer dan vier uur nodig om de vereiste energie op te wekken om de ss-20 of de ss-25 de lucht in te sturen.

Was de lancering eenmaal voorbij dan demonteerden de soldaten alles, borgen het op in de vrachtwagens en verspreidden zich over de provincie zonder een spoor achter te laten.

Dat was een nieuwe Sovjetprestatie, die sommige militairen in hun redevoeringen vergeleken met de reis naar de ruimte van Joeri Gagarin. Het was 23 maart 1986. Maar toen vloog Tsjernobyl de lucht in. Dat gebeurde vierendertig dagen nadat Vasili Nesterenko de eerste mobiele atoomreactor had afgeleverd.

Joeri Andrejev, voorzitter van de Vakbond van Liquidatoren van Oekraïne, beweert dat de explosie van Tsjernobyl een daad van sabotage was van de westerse spionagediensten, als antwoord op het Pamir-project.

Twee dagen na zijn mislukte fietstocht naar Slavoetitsj vond Vasja onder een paar kartonnen dozen een motor van het merk Oeral van 750 cc, en ook al lukte het hem niet de motor te starten, toch dacht hij dat de slechte tijden voorbij waren. Hij borg hem weg in een appartement in de Helden van Stalingradstraat, waar geen enkele plunderaar hem zou zien. Een Oeralmotor, alleen bij het bestijgen al begint het hart harder te pompen. Hij dacht hem te demonteren en het defect te onderzoeken. Hij was meer van de fiets, maar onder de gegeven omstandigheden was een motor beter.

Vasja moest het iemand vertellen en hij dacht aan de overledene van Lavrenti Bachtijar.

Hij nam een rietstengel en dreef hem zo diep mogelijk in de vochtige grond waarin zij lag, in de achtertuin van het Polesje. Hij bracht zijn mond bij de opening van de rietstengel en hij zei, duidelijk articulerend: Jekatarina, zo heet u toch, nietwaar?

Luister dan, Jekatarina, want behalve dat van de motor, wat erg belangrijk is, kom ik u ook vertellen dat Lavrenti niet meer voor u kan zorgen.

Ik zeg het u zonder omwegen. Verstaat u mij? Dat dus, dat Lavrenti op is, vrijwel kaputt. Ik heb hem in het Medsantsjast gelegd en ik denk dat hij daar zal sterven.

Jammer dat hij de Oeral niet zal gaan zien, want hij zou ervan genoten hebben met het geluid van de uitlaatpijp de straten van Prypjat op stelten te zetten.

Daarna ging hij naar de fornuizenfabriek, die de plunderaars van Chvorost een keer hadden leeggehaald. Hij liep langs het Cultuurpaleis, de Vriendschap der Volkerenstraat, de kiosk van Sojoezpetsjat, vergane vreugde en glorie, de botsautootjes van het attractiepark. Onder het lopen ontweek hij de bevroren plassen. Soms moest hij springen en dat vermoeide hem, zijn benen deden zo zeer dat hij op de rand van de stoep moest gaan zitten in de Koertsjatovstraat, waar volgens Lavrenti Bachtiarov de gezusters Zorina moesten wonen.

Omdat er geen spoor van hen te vinden was, dacht Vasja dat ze vertrokken waren. Geen kleding aan de lijn, en ook zag hij 's nachts nooit de weerschijn van vuur in een van de ramen. En dat terwijl de appartementen, de meubels en al het andere van Prypjat ter beschikking stond van degene die het wilde hebben. Kort gezegd: de stad binnen ieders bereik.

Vasja ging de gebouwen binnen, trok de braamstruiken uit die op de overloop groeiden en liep de appartementen in. Is er iemand? Hij klom een verdieping hoger, en nog twee. Toen wierp hij een blik in het trapgat. Met een stok klopte hij op de deuren. Kom naar buiten, zusjes Zorina, en gezamenlijk helpen we elkaar.

Ik heb een paar blikken vis uit de Oostzee, die kan ik delen.

Als jullie contact met mij willen, gebruik dan geen signalen, teken geen gezichten, zeg het gewoon en klaar is-ie.

Vasja hoorde geen ander antwoord dan stilte. De ene laag stilte na de andere.

Dus nam hij de fiets met de bedoeling naar de *chata* van Nastja te fietsen, hij was ervan overtuigd dat de stad uitgaan hem goed zou doen. Om eerlijk te zijn, ik voelde me een beetje alleen, zei hij haar terwijl ze samen de uien van het graf van Pjotr raapten, heerlijk voor de salade. Want nu Lavrenti er niet is, praat ik met niemand meer. En het echtpaar Grijenko, die van de wormen, Joost mag weten waar die gebleven zijn. Die wonderlijke stad Prypjat, waar de tijd stilstaat.

Dus ben ik vandaag hierheen gekomen om een beetje bij u te zijn, als u het goedvindt, Nastja Jeltsova. Als cadeau heb ik deze biografie van Lenin meegebracht. Ik zie niemand maar het lijkt of ik wel stemmen hoor. Losse zinnen. Zoiets als: 'De namen van de kinderen staan op de tafel geschreven, zodat je ze niet door elkaar haalt.'

'Tussen deze deur en het Paviljoen van de Technische Vooruitgang is het honderdtien stappen.'

'Er is een winkel in muziekinstrumenten geopend.'

Vasja nam de rugzak af die hij schuin over zijn borst had hangen. Hij haalde de biografie van Lenin eruit en gaf die aan Nastja Jeltsova.

Blijf eten, zei ze terwijl ze een doek om haar hoofd knoopte. Haar benen voorspelden lage druk en ze kon niet lopen, daarom had ze de kolen uit de groentetuin nog niet binnengehaald. En de lakens die van de drooglijn waren gevallen, bleven liggen waar ze lagen, in een plas.

En de man die hier rondhing? vroeg Vasja.

O, die. Ik heb een stoel voor hem onder de notenboom gezet, antwoordde Nastja. Dan zat hij beter. Een stoel met een kussen dat Pjotr had geborduurd. Die opgezette benen moeten hem vreselijk pijn hebben gedaan, ik kan het weten vanwege mijn spataderen.

En nu vertoont hij zich al een paar dagen niet. Ik weet niet of het verlegenheid is.

Zodra hij terugkomt, zal ik hem binnenvragen. Hij zal me niet opeten. En als hij het doet, laat het hem smaken, zei Nastja terwijl ze haar schort afklopte. Ik ben liever voer voor mensen dan voor ratten. En ze schoot in de lach. Hoewel, als de ratten er tot nu toe geen zin in hebben gehad, en Nastja lachte steeds harder en kon haar zin niet afmaken, als ze me niet eens hebben willen proberen, ze stikte bijna, lang had ze niet zo gelachen, van hem weet ik het niet, ik weet niet of hij het zal aandurven dat oudevrouwenvlees van mij te eten.

Vasja was al eerder in Prypjat geweest, toen er vrachtwagens met troepentransport over alle autowegen naar de stad kwamen. Uit Ivankovo, uit Sjepelitsji. Ze maakten de rijweg smerig met modder en de straten stonken naar uitlaatgassen en naar zwarte olie. En als je je mond dichtdeed beet je op een zuur soort stof. Het waren de laatste dagen van april 1986 en Prypjat vulde zich met rupsvoertuigen, extreem grote bulldozers, stoomwalsen die op de vlaktes rondom geparkeerd werden. Helikopters daalden neer uit de hemel en in een ervan zat Vasili Nesterenko, Vasja.

De assistent die ze hem toewezen, Achromejev genaamd, gaf hem een slappe en bezwete hand. In de loop van zijn leven had Nesterenko veel handen geschud en dit was de meest onaangename, verraderlijke en domme. De omstandigheden verhinderden beiden naar elkaar te glimlachen, maar niet om de vormen in acht te nemen. Rechts stond het gebouw van het *gorkom*. Generaal Berdov had daar zijn hoofdkwartier.

Achromejev gaf hem een geigerteller in zijn draagetui en twee rubberen poncho's.

Trek ze aan, zei hij. Allebei, de een over de ander.

Trek ze nu aan, drong hij aan. U weet waarover ik praat.

Nesterenko floot een liedje dat in de mode was. Zolang hij kon dacht hij liever aan luchtige zaken, zoals zijn vrolijke vissersdagen of de zomernamiddagen waarop hij met Ilsa en mevrouw Velichova marmelade maakte. Hij meende op die manier kwade voortekenen te bezweren. Maar nee. Hij stond voortdurend aan zijn vingers te plukken en slaagde er maar niet in de draad van een coherente overdenking te pakken te krijgen die nergens toe zou leiden.

En uw bagage?

Vasili Nesterenko zei dat hij had besloten om geen koffer mee te nemen zodat hij eerder terug zou zijn. Een manier om de toekomst af te dwingen.

Haastig liepen ze naar het *gorkom*, de schouders opgetrokken alsof ze regen ontweken. Ze liepen door de gangen die militair grijs geschilderd waren, moesten om een paar opgestapelde metalen kisten heen lopen, gingen leuningloze trappen af en vervolgens weer op.

Ze liepen voorbij een vertrek met elektriciteitsmeters. Een man met een mondkapje keek hen na.

Ze sloegen af naar een helling die uitkwam in een ondergrondse zaal, waarin het licht van tl-buizen pijn deed aan de ogen. Het rook er naar kersen.

Naakte mannen stonden in een paar wasbakken over te geven.

Brjoechanov zegt nu, zei de assistent, dat de regionaal controleur van Kiev meer capaciteit vroeg om te kunnen voldoen aan de onverwachte vraag naar energie. Het einde van de maand, het bekende liedje, de fabrieken moeten hun doelstellingen halen en de productie wordt in de laatste week opgevoerd. Bovendien liep het deze keer tegen de eerste mei, nog meer haast, nog meer capaciteit. Dus moest het experiment worden uitgesteld tot de middagploeg. De uren verstrijken, de laatste specialisten zijn vertrokken en om tien over elf 's avonds begint het allemaal, nog maar vijftig minuten voordat de derde ploeg, de minst ervaren ploeg, opkomt en ingenieur Akimov het gezag overneemt. Die arriveren en ze zijn een ramp. Vooral Toptoenov, die belast was met het besturingssysteem en het laten bewegen van de controlestaven. Hij zit pas vier maanden op die post. We hebben de transcriptie van wat ze zeiden toen de reactor ontplofte: Wat doe ik? Volg de instructies, zegt een ander. Maar er zijn stukken doorgestreept. Maakt niet uit, doe wat er staat, ook al is het doorgestreept. Kunnen we dat doen? Vraag niet meer. Wat is er? Doe wat er in de doorgestreepte stukken staat, heb je me gehoord?

O, en een andere fout was dat ze het experiment in het week-end begonnen. 's Nachts ook nog. Dat is niet toegestaan, zelfs de eenvoudigste operator weet dat.

De reglementen, waar zijn de reglementen? Logisch dat het fout ging.

Ze kwamen in een zaal. De muren hingen vol plattegronden, iemand had er in het rood cirkels en pijlen op getekend.

De assistent nam Nesterenko mee naar de academicus Valeri Legasov, die hem vroeg aan tafel te gaan zitten. Geen formaliteiten, ze gaven elkaar niet eens een hand. Daar liet hij hem een paar foto's zien die de journalist Igor Kostin van het Sovjetpersbureau Novosti had gemaakt. Ze waren van reactor nummer vier en waren op de ochtend van 26 april zelf vanuit een helikopter van de burgerbescherming genomen. Hij spreidde de foto's uit alsof hij kaarten uitdeelde en zei tegen professor Nesterenko, bekijk ze en u zult een idee krijgen van wat u gaat aantreffen.

We weten niet hoe we de brand moeten blussen, zei hij terwijl hij hem aan de arm meevoerde naar de muur met plattegronden. U heeft eerder met vloeibare stikstof gewerkt, help ons.

Bij het Centraal Comité van Minsk vragen ze waar ik me zenuwachtig over maak als alles in orde is. Waarom die zenuwen? Nogal duidelijk: omdat eerste secretaris Slioenkov zich liever in een uiteenzetting met de dichter Gilevitsj over de Wit-Russische cultuur onderhoudt, terwijl intussen het grafiet vanaf zaterdagmorgen in brand staat. Laten we het met die vloeibare stikstof proberen.

Vasili Nesterenko wilde iets zeggen, maar Legasov kneep hem in zijn arm zodat hij nog even zou zwijgen: We hebben de ondergrond van de centrale onder water gezet en het werkt niet. En het kwalijke is dan men sabotage niet uitsluit. Een lompe manier om de fouten van de Sovjet-Unie goed te praten, zult u zeggen. Dat eeuwige onvermogen van ons. En ik ben het met u eens. Volledig, professor Nesterenko. Want, eens kijken, wie moet dat dan geweest zijn, er bestaat geen regering die zo'n aanval in gang zet, zo veel leed voor iedereen, dat bedenkt geen mens. De besmette wolken verplaatsen zich willekeurig en reiken heel ver, afhankelijk van de wind, en ze kunnen zich tegen de aanstichters richten als die er zijn, en ze tot slachtoffer maken, ik zeg al dat ik het met u eens ben, professor Nesterenko, als u ook denkt dat ze ons willen beduvelen, ook al weet ik dat niet met zekerheid, dat zeg ik niet, van dat beduvelen, begrijpt u me niet verkeerd. Dat beduvelen trek ik in. Meer nog, ik heb niets gezegd.

We zijn allemaal ontdaan, vervolgde Legasov. De kwestie is dat er, terwijl wij hier aan het praten zijn, alsmaar blauw vuur uit de reactor komt. Om precies te zijn, een van de nachtwakers, een zekere Miroechenko, zegt dat het vuur in het begin donkerpaars van kleur was. Bijna zwart.

Op dat moment ging de deur open en verscheen de hoofdingenieur van het Departement voor Atoomenergie, Boris Proesjinski, die leiding had gegeven aan de werkzaamheden ter plaatse en terugkeerde om uit te rusten. Hij liep met grote passen, waarmee hij uitdrukte dat crises zijn terrein waren. Actie als een manier van leven. Hij droeg laarzen die besmeurd waren met modder en een zware anorak van dik rubber die hij lukraak in een hoek gooide terwijl hij iedereen vervloekte. Hij gespte zijn kinriem los, smeet ook zijn helm tegen de muur, riep eten, ik moet iets eten of ik ga ter plekke dood. En veel water.

Samen met hem kwamen luitenant Vladimir Pravik, bevelhebber van de brandweer van de centrale, en hoge regeringsfunctionarissen, leden van de partij binnen. Ze leken allemaal teruggekeerd op de wereld na hun eigen begrafenis.

Ze trokken zich terug in de zithoek, dicht bij de openingen van de airconditioning, en begonnen instructiehandboeken te raadplegen. Ze rookten, ze aten fruit, ze dronken bekers melk. En ze zwegen.

En dit, vroeg Nesterenko terwijl hij op witte plassen wees die op de foto te zien waren. Sommige waren onscherp, andere waren deels met een sluier bedekt, alsof er druppels van een of ander zuur op waren gevallen. Op een korrelige foto was de ruïne van blok vier te zien. Perfect zichtbaar.

Brandstof en grafiet.

In de open lucht.

Zo is het, in de open lucht, zei Legasov. En het heeft zich overal verspreid, daar kun je het zien.

Hij legde hem uit dat de piloten vanuit de helikopters, behalve duizenden zakken lood, klei en dolomiet stortten vermengd met borium. Helikopters hadden ze meer dan genoeg, die haalden ze terug uit Afghanistan.

Maar er was iets ergers.

Daarom hebben we u gevraagd te komen.

Valeri Legasov stopte zijn handen in zijn zakken en leunde tegen de muur, wachtend op de vragen van Nesterenko. Hij vertoonde een blakend uiterlijk, overtuigd als hij ervan was dat goede verzorging onder zulke omstandigheden belangrijk was. Zijn das perfect geknoopt en een schoon en kreukvrij overhemd van voortreffelijke stof, of het moest zijn dat hem om de paar uur schone kleding werd verstrekt. Af en toe kamde hij zijn haar met water naar achter waardoor hij zich frisser voelde om na te denken.

Nesterenko vroeg niets. Nog niet.

We hebben hier weinig dosismeters, ging Legasov verder, en die we hebben gaan niet ver genoeg. We weten niet wat er door het gat in het dak ontsnapt, er wordt gezegd ongeveer 20 000 röntgen per uur. Kunt u zich dat voorstellen? Dat overleeft niemand. U heeft voldoende dosismeters in uw fabrieken van het Pamir-project, professor, u gaat uw medewerkers opdracht geven ze naar ons te sturen, akkoord?

De twee keken elkaar aan. Ze tastten elkaars positie af in die onuitgesproken hiërarchie in het *gorkom*.

Professor, zodra ze mij worden toegestuurd, stuur ik ze naar u.

Een kelner met een pokdalig gezicht bracht hun koffie en koekjes. En een blik met appelcompote waar ze maar beter veel van konden eten.

Aanvankelijk gebruikten we robots, zei Nikolaj Antosjkin, tweede commandant van de luchtmacht van de militaire regio Kiev, die tot dan toe zwijgend aan de tafel had gezeten en onthutst de foto's van Kostin had bekeken. Het was een dodelijk vermoeide man die aan een stuk door rookte. Robots, vervolgde hij, om bij het grafiet te komen dat op het dak zit en dat te verwijderen, maar die hielden meteen op. Bleken goedkoop blik. Het schijnt dat radioactiviteit de circuits verandert en ze nutteloos maakt. Wie er daartegenover nooit mee ophouden zijn onze mannen, Sovjethelden. Wij zeggen ze de instructies te volgen: negentig seconden op de chronometer, geen seconde meer. Wanneer hij op het dak komt zegt degene die hij aflost hem waar hij precies moet zijn, zodat er geen tijd verloren gaat met zoeken. En iedereen verzamelt zo veel grafiet als hij kan. Met de schop of met de handen: negentig seconden. Veel van hen komen met een roodgloeiend gezicht terug en kunnen zich niet eens meer scheren. Die sturen we naar huis.

Onze schattingen geven aan dat we een miljoen mannen nodig zullen hebben.

Vasili Nesterenko bracht zijn hand naar zijn maag. Hij wist dat radioactieve lucht krampen en braakneigingen veroorzaakt, en op dat moment hing er volgens de onderminister van Volksgezondheid, Jevgeni Vorobjov, zo veel cesium en strontium in de lucht dat het, al naar gelang de stand van de zon, zelfs te zien was. Vanuit zijn ooghoeken zocht hij een zak of een prullenbak voor het geval hij moest overgeven, maar hij vond niets, en op dat moment wist hij waar het in die kelder naar rook, behalve naar kersen.

We gaan nu een vlucht over de centrale maken, zei Legasov. Pak uw spullen. O, en bedek uw mond met een zakdoek.

Buiten, op het voorterrein, wachtte een MI-24 helikopter hen met draaiende motoren op. De piloot bestudeerde de manier waarop hij het gat in de reactor kon naderen om een sonde met sensoren te laten zakken en de emissie ter plekke te berekenen, want de koeltoren maakte het manoeuvreren erg lastig. Andere piloten hadden het eerder opgegeven, ze waren teruggekeerd met een verbrande huid vanwege de temperatuur in de cockpit die bijna de zestig graden bereikte zodra ze dicht bij de brand kwamen, het was ze niet gelukt. Sommigen huilden. Hem zou het wel lukken. Hij was een veteraan en kon alles aan, zo onbaatzuchtig was hij, hij aanvaardde het noodlot als een vanzelfsprekende betaling aan het leven. Hij hoefde nog maar een paar keer over de reactor te vliegen, berekenend te werk te gaan, niet al te snel te naderen en een laatste blik te werpen, dus kwam het goed uit dat Vasili Nesterenko ernaartoe moest, hij bracht hem wel. Laten we gaan, stap maar in, zei hij.

Legasov ging ook, en Karassiov met twee andere ingenieurs.

De piloot vroeg hun hun riemen vast te maken. En ook al is het warm, hier ben ik de baas en ik wil dat u de poncho's goed om u heen trekt en dat niemand de halsdoek van zijn mond haalt. U heeft me begrepen?

Oké, en nu naar boven.

Zodra de helikopter opsteeg, zei Legasov Nesterenko eindelijk wat hij hem te zeggen had. In de lucht, zodat niemand in het *gorkom* het kon horen. En omdat ze daar dichter bij de hemel en de heiligen waren: We hebben de kans op een ontploffing berekend, en we komen op vijf tot tien procent.

Legasov haalde een paar papieren uit de zak van zijn uniformjasje en liet ze hem zien.

Als de basis van nummer vier, behalve vanwege het lood dat we erin storten, door het vuur smelt en instort, vermengt het magma zich met het ondergrondse bluswater. We denken dat de kritieke massa bij ongeveer 1400 kilo van een mengsel van water, uranium en grafiet wordt bereikt. In dat geval zouden we een explosie van drie tot vijf megaton krijgen en gaat heel Europa naar de verdommenis.

Voor het Kremlin is de rest secundair.

U zult nu begrijpen waarom we u hebben laten komen.

Toen ik aankwam stond de deur van mijn huis open. Niet wijd open, zoals bij een onoplettendheid van Adela, maar op een kier, gecamoufleerd zoals wanneer iemand hem, na het slot te hebben geforceerd, niet op een andere manier heeft kunnen dichtdoen.

Ik was even gaan kijken voordat ik naar het Buenavista Mar ging, het hotel waar Adela Vasja mee naartoe had genomen, kamer 232, voor haarzelf een ernaast en voor mij een derde, voor het geval dat. Ik keek voortdurend over mijn schouder en was alleen, maar zelfs zo vertrouwde ik het niet. Pas toen ik de sleutel in het slot wilde steken, merkte ik het. Ik aarzelde of ik zou vragen of er iemand was. Op het slot waren sporen van braak te zien, dus het ging niet om een voorzichtige klus.

Maar goed, wat doe je in een dergelijk geval, want het kon zijn dat ze Vasja werkelijk wilden doden. En en passant mij ook omdat ik me over hem had ontfermd.

Ik liep de trap af naar de hal en belde het alarmnummer. Ik vatte de situatie voor de telefoniste samen en de politie kwam onmiddellijk, ze trokken zelfs hun pistool. Gaat u opzij, zei een van de agenten. En naar degenen die binnen waren, riep hij: Als er iemand is, kom naar buiten. Hij wachtte even, maar er kwam geen geluid. Hij duwde de deur met zijn voet open en zei dat hij naar binnen kwam.

Een paar minuten later had de agent die de eenheid leidde, vastgesteld dat het huis schoon was, zo zei hij. Geen bandieten. U zult moeten kijken of u iets mist, dat is voor het proces-verbaal.

Maar ik wist al dat het geen dieven waren geweest.

In die atmosfeer van radioactieve isotopen raakten de navigatiewijzers van de helikopter van slag. Dat irriteerde de piloot die ertegenaan begon te trappen en vervloekte Russische rotzooi schreeuwde. En vervloekte waterplassen daar beneden, ze lijken wel van melk. En wat een waardeloze handen die de hele tijd verkrampen en ik weet niet waarom.

Maken jullie gauw die foto's, voegde hij eraan toe, want ik denk er niet aan ook maar een minuut boven de reactor te blijven hangen.

Nesterenko en Legasov bestudeerden van waar de tanks met vloeibare stikstof moesten naderen. En vooral hoe het water uit de kelders van de centrale moest worden verwijderd, die operatie had de eerste prioriteit want dat veroorzaakte kortsluitingen in de elektrische systemen van de reactors die nog functioneerden. Honderden voertuigen met afzuigpompen, kolossale slangen. Mannen die de machines op een paar meter van de reactoropening moesten bedienen, alles moest snel en in wisselende ploegen gebeuren.

De blauwkleurige rook hulde de helikopter in het donker. Nog geen minuut, dat heb ik al gezegd, herhaalde de piloot. Let dus goed op.

Vasili Nesterenko registreerde met zijn geigerteller de radioactiviteit. Een van de ingenieurs maakte bezwaar, wat voor zin het had te weten dat ze daarbinnen zaten te stikken zei hij, doe maar uit, professor. Dan voelen we ons minder slecht. Maar de orders van Proesjinski vanuit Moskou waren duidelijk. Hij wilde gegevens, alle gegevens die ze konden verzamelen, daarvoor waren ze daar, niet als toeristen.

De piloot kondigde aan dat ze tot honderdvijftig meter boven het dak van de centrale gingen dalen. Als de hitte het toestaat, voegde hij eraan toe.

Ze zaten allemaal te zweten, maar het was hun verboden hun poncho's los te maken, zelfs hun gezicht meer dan hoogst noodzakelijk onder de capuchon uit te laten komen.

Eropaf.

De helikopter daalde heel langzaam. Snel voelden ze dat hun gezicht als door een plotselinge koorts begon te gloeien.

Kijk, riep Legasov, daar zie je het gat.

Om het water te verwijderen zouden we een spiraalbuis onder de hal van de reactor moeten aanbrengen, zei Nesterenko. Op een notitieblok dat op zijn knieën lag maakte hij vervolgens in allerijl een tekening, zette met een rode balpen overal pijlen, schetste een route hoe er te komen en een andere waarlangs het water af te voeren, wat misschien beter ging omdat de ingestorte gedeelten van het gebouw van bovenaf goed zichtbaar waren. Maar zijn handen beefden voortdurend en de balpen viel op de grond.

Hij vergeleek zijn schetsen met de kaarten en maakte vervolgens geholpen door Karasjov zijn berekeningen, de andere ingenieurs konden het niet, ze waren begonnen over te geven. Iemand zou door deze onderaardse ruimtes moeten zwemmen, zei hij, precies tot onder de reactorhal, en de muren moeten opnemen, kijken hoe ze er aan toe zijn, of er scheuren in zitten.

Als het kan, vervolgde hij na speeksel doorgeslikt te hebben, verzegelen we het bassin met beton en magnesiumoxide zodra het water eruit is. Wat denken jullie ervan?

Maar niemand zei iets, ze keken niet eens op de kaarten die nu vol rode strepen stonden. Daarna van onderaf een tweede beschermingslaag leggen die de filtraties naar de ondergrond moet voorkomen, dat is de hoofdzaak. Er zullen mijnwerkers nodig zijn, sappeurs. Ze kunnen ze al gaan oproepen, mijnwerkers uit Donetsk, Donbass, Tula, Dnepropetrovsk, waar dan ook vandaan. Duizenden mijnwerkers, zo zie ik het tenminste.

Aan deze kant moet er tot twaalf meter uitgegraven worden en vanaf hier, hij wees met een vinger die zo erg bibberde dat hij niet eens de moeite nam om het te verhullen, vanaf hier een gang van honderdtachtig meter die onder de centrale doorloopt, waar we buizen met vloeibare stikstof doorheen leggen om het magma af te koelen, zo moeten we het doen.

Vasili Nesterenko proefde de smaak van de appelcompote in zijn mond.

Als het koelbassin nog intact is, zullen we er met loodplaten naartoe moeten en de spiraalbuis vanaf deze kant naar binnen moeten brengen. Kijk, hier is de sluisdeur. Is die geblokkeerd, wat met al die brokken puin daar waarschijnlijk is, dan voorzichtig boren zodat er niet te veel trilling ontstaat. Daarna zal er een vijftal zuigpompwagens geplaatst moeten worden. Hier en hier, en de andere drie op dat vlakke stuk, zei hij terwijl hij elke plek met een kruis op de kaart markeerde.

De balpen viel opnieuw uit zijn hand, maar deze keer ontbrak het hem aan kracht om hem weer op te rapen. Hij tekende er toch al geen pijlen meer mee, maar alleen kronkelstreepjes die niets meer voorstelden, behalve de plattegrond van zijn eigen ellende. Zodoende zei hij de rest met zijn vinger op de papieren, daarna alleen nog met zijn blik. Om de paar woorden moest hij stoppen en naar lucht happen.

En een zwemmer, zei hij, we moeten een zwemmer hebben die tot beneden kan komen om te meten. Hij zei: Méér dan 1 Ci per liter. Nee, die keert niet terug, hij moet via de radio laten weten wat hij ziet. Hij zei: En als hij de sluisdeur opent, áls hij hem opent.

Niemand luisterde naar hem. Legasov hield zijn hoofd in zijn handen, de twee ingenieurs zaten naast elkaar, in elkaar gedoken op de vloer van de helikopter.

Als hij hem opent. Het was blauw en het zwom. Een mond. Mevrouw Velichova. Als ze de deur opent. Zo'n warme hand. Iemand moet daar naar binnen. Wat veel licht.

Maar Lavrenti, jij bent het, zei Vasja voor het Voschodgebouw waar hij hem tegenkwam. En je bent op eigen kracht naar buiten gekomen. Hoe is het mogelijk?

Vasja stapte van zijn fiets en omhelsde hem. Mijn vriend de zanger, terwijl ik tegen je overleden Jekatarina zeg dat je stervende bent.

Hij vroeg hem een paar stappen achteruit te doen. Kom op, laat me je bekijken.

En hij zag dezelfde Lavrenti Bachtiarov van het filmtheater Prometheus. Hoewel, een nieuwe overjas in plaats van de anorak uit Sapporo en zijn geschoren gezicht waren al hele veranderingen.

Hét nieuws van de dag, vervolgde Vasja, die niet ophield het gezicht van Lavrenti Bachtiarov aan te raken. Ik bedoel dat je terug bent. We gaan het nu meteen aan je overledene vertellen. Ik weet niet of we haar gaan horen lachen van tevredenheid.

Lavrenti Bachtiarov moest even op de grond gaan zitten. Niks belangrijks.

Vasja hurkte naast hem neer en legde een hand op zijn knie. Hij wilde hem aanraken, er zeker van zijn dat het geen verschijning was. Je ziet er als nieuw uit, zei hij.

Lavrenti Bachtiarov vertelde Vasja na een paar minuten van hevige maagpijn, dat hij in het ziekenhuis een voorraadkamer had gevonden vol repen chocola en potten jam, die moesten voor de kinderen zijn die waren opgenomen. Er is genoeg voor een feestmaal.

En zaden. Zei jij niet dat we ons moesten organiseren? Nou, ik denk dat het uur is aangebroken. En als de oude Nastja nog niet is opgegeten door de ratten, vragen we haar of ze haar *chata* wil achterlaten en bij ons wil komen wonen.

Vasja gaf hem een schouderklopje. Geweldig, Lavrenti.

Dat gaan we Nastja vragen, natuurlijk wil ze dat. Of tenminste, bij periodes. Dan hoeft ze het graf van haar schoonzoon Pjotr niet te verwaarlozen, en ook de man met de gezwollen benen niet.

Maar kom nou mee, dan laat ik je zien hoe het Polesje ervoor staat. Kan je lopen?

Neem me achter op de fiets.

Vanzelfsprekend. Dat verdien je en nog veel meer.

Vasja hielp hem achterop te gaan zitten en zei hem zich goed vast te houden, dat hij niet in een bocht eraf zou vallen. Toen pakte hij het stuur stevig vast en maakte fietsend een rondje door Prypjat. De keukenfabriek, aan uw linkerhand kunt u het Cultuurpaleis zien waar men iedere eerste mei een beroemde marathon van regionale dansen houdt, hield, beter gezegd. Hij fietste over de Leninboulevard, de Straat van de Bevlogenen. Hij reed langs het Paviljoen van de Technische Vooruitgang, het reuzenrad en de botsautootjes, waar aan de reling nog altijd de negentien zakken gebonden zaten die voor toeschouwer speelden. Het Svetljatsjok, het filmtheater Prometheus, dicht bij de rivier al.

Ga je naar binnen iets zingen?

O nee, ik ben moe. Laten we naar het Polesje gaan. Ik ga even liggen.

Lavrenti Bachtiarov keek, achter op de fiets gezeten, om zich heen zonder een detail te missen.

Ik zie dat alles nog hetzelfde is.

Maar je moet weten dat dat niet lang meer is. Ik heb grote plannen met deze stad.

Lavrenti Bachtiarov wilde iets concreters.

Dat concretere zal ik je geven, Lavrenti. En ook nog zonder een seconde te verliezen. Herinner je je Chvorost, de aanvoerder van de plunderaars? Nou, zijn mannen zijn aan het muiten geslagen, ze beschuldigden hem ervan de winst van de buit achter te houden. Ze hebben hem geslagen, als we je nog een keer zien maken we jou en je gezin af. Niks geen vingers afhakken of zo'n soort straf, allemaal rechtstreeks het graf in. Ze pakten hem zijn leren jack af en lieten hem aan zijn lot over in een bos. Dat vertelde hij me op een namiddag toen ik hem zittend aantrof in de hal van het slaappaviljoen Skazotsjny, in het pionierskamp van Ilovnitsa. Wat doet u hier, zei ik. Weet ik niet. Doe niet zo stom, Chvorost, want ik weet uw naam. U bent Chvorost, hè? De man die een groep plunderaars aanvoerde. In het begin herkende hij me niet. Ik ben Vasja Nesterenko, zei ik hem, ik wees jullie de gebouwen aan waar iets van waarde was, en in ruil daarvoor brachten u en uw mannen eten voor me mee. Jullie kwamen een keer met een snoek. En hij van nee, nee, nee. Jullie noemden mij de gelukzalige engel, herinner je je niet? Of aartsengel, dat hangt ervan af. En bovendien heb ik nu de functie van de secretaris-generaal van het *gorkom*, wat vind je daarvan? Toen hij begreep dat ik niet zomaar iemand was, een gewone *Samosjol,* kwam Chvorost overeind. Maar hij herkende me niet, zei hij de hele tijd, het spijt me. Kijk naar mijn tong, zeg ik, en dat gaf de doorslag, hij is nog steeds niet zwart, hè? En jullie maar lachen.

Nu wel, zei Chvorost, en hij klapte in zijn handen.

Zie je wel, kom op en ga mee naar Prypjat. Wat er daar al niet gedaan moet worden.

Om te beginnen wat eten, je kunt zien dat je er slecht aan toe bent. Ik verbouw aardappels en bieten in de plantsoenen van een van de belangrijkste boulevards, en ik weet waar een kamer is die vol staat met blikken vis uit de Oostzee, en het vlees van przewalskipaarden is uitstekend.

Vasja vertelde vervolgens dat Chvorost een harde werker was en als geen ander ramen repareerde. Hij pleisterde muren en loodgieterij was zijn sterke kant. Rond die tijd moest hij in het Polesje dingen aan het opknappen zijn.

Een godswonder, die Chvorost. Ook al leek het een lomperik, met een beetje krabben kwam de zachtheid zelve boven, hij was vroeger banketbakker geweest, had in zijn provincie de *vatroesjki* van zoete kwark vernieuwd. Maar hij kon niet zo goed zingen als Lavrenti, daarom was hij zo blij dat hij weer tot het leven was teruggekeerd.

Hij benoemde Chvorost uiteindelijk tot chef van het Departement Wederopbouw, dat zou zijn taak worden. En Lavrenti burgemeester. Voor de oude Nastja Jeltsova zou hij wel iets te doen zoeken, en voor haar dochter Vera hetzelfde. Van Koninginnen van de bloemenfeesten tot aan Onderwijs, er zijn duizend-en-een dingen.

Met dat al is de deurenlichter gestorven. Een zekere Rostislav Grijenko. Een paar dagen geleden trof ik hem dood aan, bij een van gelichte deuren. Waarschijnlijk had zijn vrouw de kracht niet gehad hem erop te leggen. Het punt is dat zij in geen velden of wegen te bekennen is.

Maar je moet de moed niet opgeven, zei Vasja, want ik heb plannen en met de toeristengids, Jevgeni Brovkin, gaan we een zaakje opzetten. Je zult het niet geloven, gemuteerde plantenkruiden.

Potjes met insecten zonder naam. Souvenirs uit de zone, zeg maar. Hij heeft op zijn kantoor in Gomel al bestellingen via internet ontvangen.

Ik heb met Jevgeni gesproken. Het schijnt dat de soldaten de passerende bussen doorzoeken en zelfs de kofferruimte openmaken, ze zeggen dat ze hem zijn papieren afnemen wanneer ze een onregelmatigheid zien, en het daarna allemaal in een register noteren. Dus heb ik hem gezegd: Als je me nu niet uit Prypjat kunt weghalen en meenemen naar het buitenland, laten we dan de basis leggen voor een vruchtbare samenwerking, en later praten we dan wel over evacuaties.

En jij, Jevgeni, moffelt intussen de souvenirs weg onder het reservewiel. In ruil daarvoor breng je pectine en niet-bestraald eten, medicijnen en bouwmaterialen voor me mee, dat was wat ik hem zei.

Want ik zweer je, mijn beste Lavrenti, met wat wij aan de verkoop verdienen zal niemand deze stad nog herkennen. Dat is mijn droom.

Er was een vrijwilliger. Hij klom op een stoel en begon zijn armen rond te maaien om iedereen een idee te geven hoe hij zwom. Hij zei dat hij een zilveren medaille had gewonnen op het jeugdzwem-festival van Kiev en dat hij twee minuten kon duiken zonder met zijn hoofd boven water te komen, twee minuten tien. Hij haalde diep adem om te laten zien dat hij niet loog en hield hem in tot hij niet meer kon.

Genoeg. De ingenieurs die bijeen waren in een zaal van het Oktober, legden hem uit wat hij moest doen, en dat was met de hand de vastgelopen klep van de waterafvoer openen. Wellicht moest hij meerdere keren duiken.

Wellicht zou hij niet terugkeren.

Op de avond van de 5de mei gaf Ivan Silajev, die nog maar pas Sjtsjerbina als hoofd van de Regeringscommissie was opgevolgd, de vrijwilliger een envelop met duizend roebel, het equivalent van een half jaarsalaris.

Hij omhelsde hem, hield een toespraak voor een groep liquida-toren die tot het laatste moment de vrijwilliger gezelschap wilde houden en zei hem dat hij, zo gauw de dag aanbrak, de envelop met geld naar zijn familie zou sturen.

De vrijwilliger glimlachte voldaan. Hij sloeg zijn armen een ogenblik over elkaar, daarna stak hij beide handen in de zakken van zijn jack. Hij had erg genoten van wat Silajev had gezegd, want nog nooit had iemand zulke lovende woorden over hem gesproken. Spoedig zou hij binnentreden in de Geschiedenis van de Goede Mannen van de Sovjet-Unie. Het applaus hield op, hij verklaarde dat hij gelukkig was en dat ze hem maar meteen naar het koelwaterbassin moesten brengen, er was geen tijd te verliezen.

De overigen meenden dat de manier waarop hij zichzelf onbelangrijk maakte, bewonderenswaardig was en om mee te gaan in zijn goede humeur lachten ze met hem mee.

Met zijn duikerspak al aan zei de vrijwilliger, nu ik erover nadenk houd ik de envelop met roebels liever zelf. Ze moesten allemaal weer lachen. Ik maak geen grapje, zei hij. Nog meer gelach, die duiker moest bij het toneel gaan, en sommigen sloegen hem op zijn schouder.

Twee dagen later, precies toen de operatie om het water onder de reactor te verwijderen was beëindigd, brak het nucleaire magma door het gewicht van het zand en het lood de bodem van de tank, en viel in het intussen geleegde koelwaterreservoir. Er steeg een geweldige wolk radioactief stof op waardoor de helikopters opnieuw over de centrale moesten vliegen om zakken lood af te werpen. Maar de atoomontploffing bleef uit.

De duiker was ontveld geraakt en stierf spoedig.

Allereerst de waarheid, zei ik tegen Vasja toen ik bij Buenavista Mar aankwam. Ik kan mij niet met u bezighouden. Ze zijn zelfs mijn huis binnengedrongen.

Vasja trok zijn hoofd tussen zijn schouders als iemand die het lijden van de wereld draagt, toen ik eraan toevoegde dat het geen geld was waarnaar ze op zoek waren.

Hij begon de mouwen van zijn overhemd op te stropen maar elke omslag deed hij zo voorzichtig dat ik aanbood hem te helpen, dan zouden we eerder klaar zijn.

Breng me naar Prypjat, zei hij.

Als u me nou tenminste vertelde waarom ze naar u op zoek zijn. Vasja slaakte een zucht: dat doe ik al. Wanneer ik vertel over

Lavrenti Bachtiarov, over de honden van Prypjat, over mijn fiets, dan doe ik dat al.

Hij zei dat hij met zijn assistenten de dorpen afreisde.

Uit een folder van BELRAD: 'Aardappels raken de radionucliden kwijt wanneer men ze drie tot vier uur in water met wat zout laat staan. Vlees: snij het vlees in middelgrote stukken en zet het gedurende tien uur in water met zout en azijn. Groenten: het gehalte cesium-137 kan tot vijftig procent worden teruggebracht door groenten langdurig te koken. Paddenstoelen: de soorten die geplukt waren in de buurt van het dorp Tsjirkovitsji, in het district Svetlogorsk, hadden een lading van 280 becquerel per kilo, en na driemaal gedurende twintig uur in water met zout te hebben gestaan, was de besmetting tien keer minder. Instituut BELRAD voor radiologische bescherming, Maroesjinskistraat, 220053, Minsk, Wit-Rusland.'

Dat was wat BELRAD deed.

Vasja vroeg om water en dat moest ik hem wel geven. Hij vroeg ook om een kop chocola, maar dat zouden we uitstellen tot later.

Terwijl hij in zijn ogen wreef vertelde hij dat het gebeurde tijdens een tv-programma.* Hij discussieerde met het hoofd van de parlementaire commissie voor Tsjernobyl en hij vertelde hem dat er heel hoge doses cesium-137 in de groenten van de markt werden toegestaan. In de melk en in het vlees. Misdadig, zei hij. U weet ervan. En hij wees met een beschuldigende vinger op hem.

En hij zei hem ook dat het nieuwe meetsysteem, waarmee ze de gegevens van de voedingswaren opnamen en niet direct van de bestraalde lichamen, vanuit gezondheidsoogpunt bedrog was. Zo had bijvoorbeeld een derde van de drieduizend rampdorpen in 1992 meer dan 1 mSv/jaar, en met het nieuwe systeem, waarbij de spectrometer niet meer bij de mensen mocht worden gehouden, kregen de autoriteiten nu, zes jaar later, de gewenste gegevens. Er werd nog maar van tweehonderd dorpen gesproken, waardoor ze van twee miljoen besmette personen naar vijftigduizend zakten. Nou, ziet u wel, zeiden de mensen van het Ministerie van Volksgezondheid. U kunt naar huis terugkeren, trekt u zich niets aan van die onheilsprofeten.

Nesterenko is er daar een van. Vasili Nesterenko van BELRAD. Niks van aantrekken, van die man.

Vasja viel plotseling stil. Het leek wel of hij iedere zin overdacht voor hij hem uitsprak. Ik schudde zijn kussen op zodat hij beter kon zitten en ik zei hem dat hij mij moest vertrouwen. Ik gaf hem meer water. Al goed, laat Adela de bediening om een kop warme chocolademelk vragen.

En alsof hij het zich ineens herinnerde, vervolgde hij toen dat de man van de parlementaire commissie met zijn vuist op tafel sloeg. Hij beledigt me, schreeuwde hij, vertel eens wat heeft u eraan de mensen zo'n angst aan te jagen, u bent niet meer dan een opportunist, u weet niets van geneeskunde, houd uw mond dus.

Toen het programma afgelopen was, kwam een onbekende naar hem toe en zei: De gevolgen zijn voor uw rekening.

Meteen al de volgende dag stonden er drie mannen bij BELRAD op de stoep. Ze hadden een brief bij zich van het Ministerie van Volksgezondheid. Drie mannen die geen koffie wilden, en die ook niet wilden gaan zitten om hem een memo voor te lezen die luidde: De metingen met spectrometers voor menselijke straling betreden het terrein van de geneeskunde. Daarvoor heeft een fysicus als u geen vergunning, ook al valt u onder de Interministeriële Raad voor Atoomenergie. Einde van de werkzaamheden.

Vasja vertelde dat vanaf dat moment de telefoontjes naar Ilsa begonnen. Uw man kan van alles overkomen. De stroom van zijn huis werd afgesloten, hij werd gevolgd. Hij zag ze wanneer hij naar de garage van mevrouw Velichova ging om blikken met marmelade te vullen. Hij zag ze omdat ze zich lieten zien.

Dus sloot hij zich op in zijn kantoor en bracht uren door met jongleren met een reclamebalpen van een kunstmestlaboratorium. Hij belde een paar vrienden om ze uit te nodigen voor een picknick buiten de stad. Hij belde ook met zijn broer Volodja. Met niemand sprak hij over wat hem bezighield, alleen maar over alledaagse dingen. Of de fruitpers al functioneerde, of het vissen al was begonnen.

Maar hij herpakte zich en antwoordde met reglementen. In een brief die hij het Ministerie van Volksgezondheid stuurde, schreef hij dat volgens de statuten van de Academie voor Wetenschappen, waar hij al achtentwintig jaar lid van was, de bestuursorganen van de Republieken verplicht waren om elk verzoek van een van haar leden te beantwoorden, en dat zijn verzoek was te mogen weten welke wet in Wit-Rusland zei dat menselijke straling meten met spectrometers een handeling van medische aard was, want voor zover hij begreep vermeldde noch de wet betreffende de Speciale Regeling voor het Rampgebied van Tsjernobyl noch die welke de Lijst van Activiteiten bevatte waarvoor de toestemming van het MINZDRAV vereist was, ook maar iets van dien aard. Derhalve was het verbod illegaal. Was getekend: Vasili B. Nesterenko, doctor in de Technische Wetenschappen.

Adela zette een kop chocola, die een kamermeisje zojuist had gebracht, voor hem neer op het tafeltje en Vasja zei dat het erg lekker rook, en hij nam een paar slokjes met de inspanning van een man die vertrouwd is met verbittering.

Toen vertelde hij dat de Ministerraad van Wit-Rusland vicepremier Demtsjoek een opdracht verstrekte. Ze wilden een referentie-uitspraak.

En dat hij, toen hij in zijn Volkswagen wou stappen om naar de bijeenkomst met Demtsjoek te gaan, zag dat een band lek was gestoken. Het was de rechter achterband, het werk van een straatschooier. Hij keek op zijn horloge, als hij de band zo snel mogelijk verwisselde was hij nog op tijd. De krik, hoe werkt dat. Eerst de moeren van het wiel losdraaien, de auto nog op de grond. Daarna krikte hij hem op. Haalde de lekke band eraf, legde hem op de stoep en plaatste het reservewiel. Hij keek nog eens op zijn klokje, met wat geluk haal ik het nog. De moeren vastdraaien door op de sleutel te springen. Nee, eerst de auto laten zakken, de krik weghalen. Die staat. Dan pas aandraaien. Hij had zijn handen met vet besmeurd, maar wat zou het. Kom op, al klaar, starten.

Ze hadden om beurten het woord gekregen, maar op het moment dat Nesterenko bij de vergadering arriveerde werd er alleen nog maar geschreeuwd. Ten slotte formuleerde de secretaris een haastig verslag waarin in ieder geval kwam te staan dat er geen medische toestemming nodig was om menselijke straling met spectrometers te meten.

Vanaf dat moment veranderden de bedreigingen van karakter. Een afbeelding van Nesterenko met kippenpoten, dode muizen op de voorruit van zijn auto. Zeg je man dat hij ermee ophoudt, kijk maar hoe anderen aan hun einde kwamen, las Ilsa op een stuk papier dat ze onder de deur door hadden geschoven. We waarschuwen niet meer.

De eerste keer dat ze hem wilden doden, zei Vasja, was door de moeren van een wiel van zijn Volkswagen los te draaien. De band die hij omwisselde toen hij was lekgestoken, was van een achterwiel, en dit was een voorwiel, dus was er geen sprake van dat hij zichzelf ervan moest beschuldigen in de haast onzorgvuldig te zijn geweest. Maar hij had geluk, want hij reed langzaam toen het wiel losliet.

Er was een tweede keer. Hij reed door de wijk Drazjnja op weg naar het laboratorium in Sosny, hij nam altijd dezelfde weg. Hij stopte voor een rood stoplicht. Het was een straat met drie rijbanen en hij was op de meest rechtse gaan rijden. Hij keek in zijn achteruitkijkspiegel en zag een Wolga op volle snelheid naderen. Bijna twee ton ambulance. Steeds dichterbij en zonder te remmen. Hij stortte zich op hem. Vasja kreeg de tijd niet om eruit te springen en de ambulance botste op de Volkswagen.

Sindsdien sliep hij slecht. Toen hij uit het ziekenhuis kwam, hinderde de nekbrace hem en had hij veel en hardnekkige rugklachten. Daarom bracht hij de nachten zittend op een keukenstoel door om Ilsa niet te wekken. Hij veegde de kruimels van het tafelkleed bijeen en at ze op.

Hij zwierf op pantoffels door het huis. Hij schoof het gordijn open en keek naar buiten of het al ochtend werd, maar nee, nog niet.

En hij dacht aan zijn vrienden. Aan Valeri Legasov, die zelfmoord had gepleegd, aldus een bericht van het nieuwsagentschap

Itar-Tass. Legasov loog niet toen hij in Wenen de officiële versie van het ongeluk gaf, maar hij vertelde niet de hele waarheid. Onder ons gezegd: de schuld lag bij het ontwerp van de reactor *Reactor Bolsjoj Mosjtsjnosti Kanalni*, de RBMK-1000; dat bewees het feit zelf dat de fouten van de operators tot een ramp konden leiden.

Vasja herinnerde zich dat Legasov hem in een weekend in zijn datsja was komen opzoeken. Na de wodka citeerde hij uit zijn hoofd een zin uit het verslag dat aan het IAEA werd overlegd: 'De hoofdoorzaak van het ongeluk is een onwaarschijnlijke samenloop van veronachtzamingen van de bedieningsprotocollen, toe te schrijven aan het personeel.' Maar de zin vervolgde, vertelde Legasov, die samen met de mensen van het Koertsjatov-Instituut voor Atoomenergie zelf behulpzaam was geweest bij het opstellen ervan, de zin vervolgde: '... die de fouten in de constructie van de reactor en in het beveiligingssysteem aan het licht brachten.' Dat laatste hadden ze in Wenen geschrapt.

Later werd hij dood aangetroffen, hij was begonnen in een krant zijn aantekeningen van die lente van 1986 te publiceren.

Vasja liep de tuin in, ging op de schommel zitten en dacht aan Tsjaadajev, die zoek was. Hij had gezegd dat hij bewijzen had dat Tsjernobyl veroorzaakt was door een aardbeving en dat was een slecht bericht voor het Kremlin, want de grootste kerncentrale van dat moment, die van Ignalina in Litouwen, was op onstabiele bodem gebouwd. En daar staat hij nog steeds. Bewezen, de geologen vonden honderden breuken onder de centrale van Ignalina, sommige van wel honderd meter. En Tsjaadajev verdween van de aardbodem.

Vasja bedekte zijn gezicht met zijn handen. Het leek wel of een menigte pratende mensen bij hem was binnengedrongen.

De nachten waren zo massief dat het Vasja gebeurde dat hij dacht aan veel van zijn vrienden, een van hen was de hoofdingenieur van Tsjernobyl, Nikolaj Fomin, die in de gevangenis zelfmoord wilde plegen door met de glazen van zijn bril zijn aderen door te snijden, en die daarna ook in een gekkenhuis werd opsloten. En daar zat hij weg te rotten, totdat hij doodging. Zijn vader vroeg om een verklaring waarin stond dat hij door ziekte bij uitoefening van zijn functie was overleden. Wees blij dat hij dood is, antwoordden ze hem. Dat heeft hij verdiend, die zoon Nikolaj van u.

En dan is er Zjmychov. Jaroslav Zjmychov, van Anorganische Chemie van het laboratorium van Sosny. Op een dag was hij weg. Niemand had een idee en Vasja ging naar zijn huis. Antonia Jakovlevna, waar is je man?

Zij huilde. Ze wilde niet praten, maar uiteindelijk boog ze zich naar hem over en fluisterde snikkend:

Jaroslav heeft moeten onderduiken.

Hij had het in zijn hoofd gehaald een buitenlandse correspondente te vertellen in welke condities de sarcofaag van de centrale verkeerde. En waar hij dacht dat het geld gebleven was, want toen hij er met Tsjetsjerov binnenging zag hij dat daar niet die driehonderdduizend kubieke meter beton lagen waar de autoriteiten het over hadden. Niets. Leeg.

Daartegenover zag hij scheuren waar het regenwater doorheen sijpelde.

Hij gaf een paar voor- en achternamen, ging Antonia Jakovlevna verder, die steeds harder begon te huilen. En nu heeft hij moeten onderduiken in Prypjat. Hij stopte een paar geigertellers in een rugzak, wat blikken voedsel en hij vertrok. Hij zei dat ze hem daar niet durfden te zoeken, dat hij een paar trucjes had om zichzelf te beschermen. En ook dat hij wist dat het noordelijke deel van de stad minder besmet was dan de rest. Maar ik hoor al een maand niets meer van hem en dat lijkt me te lang.

En daar buiten staan altijd een of twee mannen die elkaar aflossen.

Vasja ging de trap af naar het souterrain en begon zijn vistuig te controleren. Hij ontwarde de loodjes, ordende de kettingwartels, het mechaniek van de molentjes die hij altijd ingevet wilde hebben. Zo kwam hij tot rust, maar nu kon hij aan niets anders denken dan aan zijn vrienden die weg waren. En aan wat hem zou overkomen.

Zodoende vroeg hij Ilsa op een avond om naar haar vriendin Jelena Demidova te gaan, jullie zijn als zussen voor elkaar. Maar wel met een datum van terugkeer, twee maanden op z'n hoogst.

Ilsa vroeg hem waar hij haar voor hield, zomaar weg te gaan. Maar Vasja drong zo hard aan dat er voor haar niets anders op zat dan te vertrekken. Mirosjnitsjenko 19. Dat was het adres, ik zal je schrijven, zonder afzender.

Er volgden rustige dagen totdat Vasja op een dag tegen de avond, intussen zonder Ilsa, door de straten van Gomel reed. Het Medisch Instituut had hem uitgenodigd om over zijn experimenten met Vitapect te spreken en zijn lijngrafieken te laten zien. De Volkswagen die pas is gerepareerd, rijdt als nieuw. En hij heeft honger, hij mist de gerechten van Ilsa, de zuurkoolsoep van sommige feestdagen. 's Avonds tegen haar aan kruipen om ontspanningsprogramma's op de televisie te zien, Ilsa is zo hartelijk.

Aangezien zijn maag sinds de dagen van Tsjernobyl traag werkt en hij last heeft van hartritmestoornissen, waarbij ook nog eens de gevolgen van de botsing met de Wolga, moet hij zichzelf in acht nemen, maar vandaag heeft hij nekbrace noch pillen nodig gehad, wat hem tevreden heeft gestemd, dus gaat hij vanavond wat meer eten dan zijn dagelijkse salade van tomaten, komkommer en fetakaas. Bovendien zit zijn kofferbak vol noten en amandelen en op de achterbank staan een heleboel potten jam, want de mensen van het Medisch Instituut van Gomel wilden hem iets cadeau doen voor de kinderen die hij met zijn spectrometer onderzocht. Koekjes, honing, appels. Van ons, allemaal om uit te delen in de dorpen die je bezoekt. Dat zit hij te overdenken als hij vlak bij een luifel, tegenover het hotel waar hij logeert, een Toyota ziet staan. Hij mindert vaart. Niets bijzonders, want er staan andere auto's en ze lijken allemaal hetzelfde. Een bestelwagen, een auto zoals die van zijn broer Volodja, twee bromfietsen. Maar dat juist die Toyota daar staat bevalt hem niet. Vasja remt af, zet zijn richtingaanwijzer aan en gaat ter hoogte van het standbeeld van Andrej Gromyko naar de kant. Hij maakt zich klein in zijn stoel zodat hij minder zichtbaar is. Hij kijkt. In de auto zitten twee mannen. Nee, het zijn er drie, nu ziet hij het goed. Vasja verstevigt zijn greep op het stuur, want een van de mannen in de Toyota draait zich om en kijkt. Ze hebben hem dus gezien. Wat nu? Het beste is rustig blijven zitten, misschien de zonneklep omlaag doen. Plotseling doet de man van de achterbank het portier open en loopt snel op hem af. Vasja gaat rechtop zitten, zet de versnelling in zijn achteruit, het komt goed uit dat hij de motor niet heeft uitgeschakeld. Hij manoeuvreert meteen en rijdt weg. Hij weet niet waar hij heen gaat, maar laat zich door het verkeer naar buiten de stad voeren, terwijl hij voortdurend in de achteruitkijkspiegel kijkt. Hij is bang en kan niet goed denken. Het is niet direct een vlucht, maar hij heeft haast en de andere auto's claxonneren wanneer hij van de ene naar de andere rijbaan wisselt. In zijn achteruitkijkspiegel ziet hij dat de Toyota hem op afstand volgt. Een ruk aan het stuur en hij zou nauwe straatjes in kunnen rijden of naar de buitenwijken, maar hij geeft er de voorkeur aan de brede boulevards te volgen. Hij gelooft dat het nu nog maar twee mannen zijn, de urgentie hem te volgen is zo groot dat ze niet eens op de man gewacht hebben die uit de Toyota is gestapt. Vasja is bang en weet niet welke weg hij moet kiezen, of het beter is af te slaan naar de spoorwijk van Novobelitsa of door te rijden naar Choetor. Hij weet alleen dat zijn Volkswagen sneller is op de autoweg, dus neemt hij de E-95 in zuidelijke richting en laat Pritorony vervolgens links liggen. Hij geeft gas. Hij kijkt in zijn achteruitkijkspiegel en ziet dat hij na meerdere tientallen kilometers nog steeds wordt gevolgd, ze willen hem niet inhalen, dat lijkt wel duidelijk want nu rijdt hij langzamer om te zien wat zij doen en zij verminderen ook hun snelheid, het ziet ernaar uit dat ze elkaar zitten te bestuderen. Hij passeert Annovka, Rjabtsy, plaatsen die hij ooit met zijn spectrometer heeft bezocht. Vasja drukt het gaspedaal helemaal in, nu zullen we eens kijken, op zo'n moment kan hij ondanks de snelheid, ondanks zijn leeftijd, beter denken. Wanneer hij naar rechts de ringweg van Tsjernichiv op gaat langs de P-19, realiseert hij zich, rijdt hij richting Slavoetitsj, daarna Tsjernobyl en ten slotte Prypjat, wat zullen die lui van de Toyota doen, zouden ze hem op die weg durven te volgen? Hem, een oude rot in besmette gebieden. Aan de andere kant willen zijn achtervolgers hem misschien alleen maar angst inboezemen en keren ze straks om. Vasja's handen zweten en hij opent het portierraampje op een kier. Kom dan, kom dan als jullie durven. Het zijn al aardig wat kilometers met de Toyota achter hem aan. Zijn benzinetank staat nog op de helft, op dat gebied geen problemen. Volg me maar, ik zal jullie een voorschotje op het einde van de wereld laten zien. Dus rijden beide auto's in de richting van Prypjat. Kilometers en kilometers. Met die van de Toyota in zijn kielzog, steeds op dezelfde afstand. Naar de stad waar niemand heen gaat. Naar Prypjat, via een weg vol gaten. Vasja zou af willen slaan, maar er zijn geen afslagen meer. Langs de kant zijn af en toe verlaten boerderijen te zien waarvan het dak is ingestort, omheiningen die de wilde zwijnen vernield moeten hebben. Bomen zonder bladeren. Donkere bossen. In de verte ziet hij de eerste waarschuwing voor de uitsluitingszone, wanneer hij op dertig kilometer van de centrale is, moet hij omkeren, doorgang verboden. Maar hij rijdt door, Ljoedinovo, Kolyban. Vasja kijkt opnieuw in de achteruitkijkspiegel en het lijkt of de Toyota achter blijft, ook al staat hij niet helemaal stil. Ongetwijfeld aarzelen ze. Tweede bord, een paar kilometer verder. Met radio-activiteit besmet gebied, rij niet verder. En zo verder totdat Vasja, na nog vier waarschuwingsborden, in de verte een recht stuk weg ziet met een controlepost. De soldaten zullen me weten te verdedigen als het nodig mocht zijn, ze hebben wapens. Soldaten, ik heb jarenlang voor het Sovjetleger gewerkt en ik weet niet wat die mannen daar van me willen, ze zitten al vanaf Gomel achter me aan, houd ze onder schot. Maar als hij ten slotte arriveert is er niemand, niet eens een wachtmeester die het bevel voert. In de achteruitkijkspiegel ziet hij dat de Toyota ook tot stilstand is gekomen. Hij staat op zo'n honderd meter en blijft daar twee à drie minuten staan, want niemand neemt een besluit. Het wordt donker en Vasja twijfelt of hij er goed aan heeft gedaan hierheen te rijden, maar daar heeft de weg hem heen gevoerd, dat lot moest zijn voorbestemd. Vasja denkt dat het fout is niks te doen, dat geeft de anderen de gelegenheid het initiatief te nemen, dus stapt hij uit de auto en duwt de slagboom met de hand omhoog. Als zij nu op hem zouden inrijden, zou hij door de velden moeten rennen en vandaar het bos in, hij heeft al bepaald hoe hij zou lopen. Hij kijkt uit zijn ooghoeken, kom op, ik sta op jullie te wachten. De twee mannen zijn uitgestapt, maar ze verwijderen zich geen stap van de Toyota. Vasja loopt terug naar de auto, zet hem in de eerste, rijdt nu heel langzaam terwijl hij naar achteren kijkt wat die van de Toyota doen. We betreden het einde der wereld. Maar het lijkt of zij ook niet terugschrikken, vasthoudende lui. Het is al bijna donker, de lichten moeten aan. Die van de Toyota zetten het grote licht op om hem te intimideren. Verlaten *chata's*. In de berm ziet hij zo nu en dan een oude vrachtwagen. Vasja was al eens in dit gebied, hij zocht mensen die niet wilden vertrekken. En hij constateert dat hij daar nu profijt van heeft. Bovendien heeft hij nog benzine, een derde van de tank. En hij heeft noten in de kofferbak, en potten jam. Koekjes van Gomel. Zij hebben die mazzel vast en zeker niet. Ze zullen omkomen van de honger, ik niet. Maar natuurlijk kunnen ze beter weggaan. Hij draait zijn raampje omlaag en schreeuwt: Ga weg, alles is hier vervuild. En hij gebaart hen met zijn handen dat ze om moeten draaien. In de verte, aan de rode horizon, zijn de eerste gebouwen van Prypjat te zien. Vasja vermoedt dat ze de inzittenden van de Toyota voor deze achtervolging veel moeten hebben beloofd, want ze geven niet op. Een auto achter een andere, twintig kilometer per uur. Getweeën passeren ze een monoliet als aandenken aan de atoomenergie. Verdomme en nog eens verdomme, zegt Vasja terwijl hij meermalen op het stuur slaat. Wegwezen. Hij slaat af naar een plein. Zijn verwarming staat op de hoogste stand en zelfs zo heeft hij het koud. Door de scheuren in het asfalt groeit onkruid. Appartementsgebouwen van tien of meer verdiepingen, de ramen open. Rechts ziet hij een reuzenrad, een wereld voor altijd tot stilstand gekomen. Hij rijdt over verlaten boulevards. De nacht dient zich aan met een uitgesproken duisternis. Een paar honden rennen door de straat in dezelfde richting als hij, alsof ze hem zijn komen verwelkomen. Uiteindelijk remt hij, stapt uit de auto en rent weg om zich in de hal van een gebouw te verbergen. Nu zullen ze zeker weggaan. Vanachter een paar planken kijkt Vasja toe. Hij doet zijn kraag omhoog om zijn mond te bedekken, hij wil het stof dat zijn voeten opwerpen, die zwarte stof, niet inademen. De mannen in de Toyota zijn op vijftig meter van zijn auto blijven staan. Een minuut gaat voorbij. Ze zijn zeker aan het beraadslagen. Een van hen stapt ten slotte uit en loopt naar de Volkswagen van Vasja. Hij haalt een pistool uit de zak van zijn jack en schiet op de banden, een schot in elke band is genoeg, de auto lijkt nu een ter aarde gestorte dode. Dan bukt hij zich om te kijken, hij zoekt de benzinetank en schiet nogmaals. Nog drie schoten. Onmiddellijk verspreidt zich een plas benzine onder de auto alsof het bloed is. Om het aan te steken is een lucifer voldoende. En wat de man doet, is een paar stappen achteruit zetten, een lucifer aansteken en die naar de plas benzine gooien. Je was gewaarschuwd, roept hij.

Je kunt nu beter een huis gaan zoeken, want je bevriest als je langs de weg gaat lopen. En er zijn honden.

Hoor je me?

Je hebt erom gevraagd.

Want de dag ervoor, voordat hij naar Gomel reisde, had Nesterenko opnieuw het driemaandelijkse rapport van BELRAD naar een twintigtal wetenschappelijke instanties gestuurd. Alleen zaten in elk pakket ditmaal ook fotokopieën van een paar geheime verslagen van de vergaderingen van de Operatieve Groep van het Politbureau betreffende Tsjernobyl die een Oekraïense journaliste, Alla Jarosjinskaja, hem had gegeven.

4

'Nee tegen de atomen, nee tegen de markt. Leve het leven zoals we het vroeger kenden' staat er geschilderd op een muur van het Chernobyl Interhome Hotel. Een suite à zestig dollar.

Chalina heeft het over een foto: 'Het weeshuis werd geleid door een tweeling, Darja en Pavlina Ramanenka. Ze verzorgden de kinderen onvermoeibaar en zo nu en dan brachten ze hen naar de binnenplaats zodat ze wat zon kregen. Het waren kinderen met een misvorming. Ik herinner me er een die Viktor heette, Viktor Sjnarau. Ondanks die heel korte, verschrompelde armpjes van hem, was die boef razendsnel. Ik wilde hem omhelzen en zodra hij erbij kon greep hij een van mijn oren en wilde het niet meer loslaten.'

Artjom Tsjoebinets zegt dat hij niemand onheus wil bejegenen, maar... maar volgens hem... wat hij zegt is dat er hier veel profiteurs zijn. Soms gaat het om de een, soms om een ander. Zo werkt dat.

'Daar is de keuken van mijn huis,' schrijft Valeria Sitach. 'Bij de evacuatie vergat ik de kraan te sluiten. De gedachte aan die waterstraal in mijn keuken heeft me steeds dwarsgezeten. Maar Prypjat verandert. Het leeft. Ik kijk af en toe naar de foto's die op het web worden geplaatst, en waar bijvoorbeeld eerst een paar planken lagen, is nu een groentetuin. En de hal van het Polesje is lichtblauw geverfd, vroeger was dat niet zo, ik heb zelf in dat hotel gewerkt. En vooral deze foto. Goed kijken. In dat raam is een man de was aan het ophangen. Zie je? Dichterbij. Daar heb je hem: een man.'

Guillaume en Marie-Chantal uit Montélimar, Frankrijk: 'Vierhonderd dollar per persoon, afzetterij. Het vervoer gaat met een busje waar geen verwarming in zit. De chauffeur, een jongeman met de naam Jevgeni, geeft onderweg uitleg. In het Russisch. Oftewel, als je geen Russisch spreekt, versta je niks. Je krijgt een papiertje met instructies. Niet op aarde lopen, alleen op cement. Dan duikt er een figuur op die zegt dat hij in Prypjat woont. En om af te sluiten een sandwich en een appel, dat is wat zij onder een typisch regionale maaltijd verstaan. Het is niet de moeite van het vertellen waard. De onderneming? Alleen maar East Travel, dat is alles.'

Anoniem: 'De mensen zochten fruit met wormen, dan wisten ze dat het niet besmet was en dat ze het konden eten.'

Raymond Palomar van het Peabody Museum of Natural History in Yale, New Haven, Connecticut, koopt dieren met genetische mutaties veroorzaakt door straling. Alleen serieuze reacties. Ze moeten in leven zijn. Besteladres: 170 Whitney Avenue. Betaling via PayPal.

Vladimir Chomtsjenko had een machine uitgevonden die radioactiviteit afbrak. Zijn vrienden drongen er bij hem op aan zijn uitvinding aan de regering aan te bieden, maar hij was er niet gerust op. Hij zei dat hij hem eerst moest perfectioneren.

Groot bewonderaar van de Chinese cultuur als hij was, bracht Olzjas Soevarin uren door met in encyclopedieën te lezen over de geschiedenis van de stichting van Beijing. Hij leerde Kantonees, en het taoïsme leerde hij ook. Toen de brandwonden van de straling hem doodden wilde zijn vrouw, Fenja Aronovna, binnendringen in de ziel van de overledene. Ze pijnigde haar hersens in een poging iets te ontdekken dat haar toegang zou verschaffen, maar kon niks vinden. Totdat ze de anderen op een dag vertelde dat de warboel waarin ze zich verwikkeld zag, een weergave was van de situatie. Ik vind niets want er is niets, zei ze tegen hen, terwijl ze een portie *hahm suen choy* kookte zoals haar man haar dat had geleerd.

Een heel populaire heks had gezegd dat ze met haar magie de

velden schoon kon maken. De burgemeesters van de dorpen lieten haar komen. 'Kom en we zullen een straat naar je noemen.' De heks Paraska, zo heette ze.

Ze beloofde de desintegratie van het strontium-90 te versnellen, de heks Paraska.

De schrijfster Svetlana Aleksejevitsj reisde de dorpen af. Ze sprak met degenen die gebleven waren. De oudjes zongen liedjes voor haar zoals *De vrolijke Valentin, Ik bak, ik bak brood*, en wat ze allemaal mooi vonden: *Een verpleegster, genaamd Sofja Tsvetajeva*. Ze schreef ze allemaal op voor haar boek. Toen ze op een middag zat te eten, veranderde ze in een engel. Niet bij wijze van spreken. Ook al duurde het maar een paar uur, ze veranderde echt in een engel.

Anderen die ook in engelen zijn veranderd: de journalisten Wladimir Tsjertkoff en Galia Ackerman. En het schijnen er veel meer te zijn. Alberto Merino van de Spaanse Vereniging voor hulp aan de slachtoffers van Tsjernobyl, ABAECHE. Het zijn maar een paar voorbeelden.

Er zijn ook foto's van voor de evacuatie. Op een ervan is een groep jongeren van uiteenlopende leeftijd te zien die de finish van een hardloopwedstrijd bereiken. Ze hebben gewone kleding aan, rennen op schoenen, in een trui en linnen broek. Het is een close finish.

'Propaganda en meer propaganda,' zegt Baba Klavdia terwijl ze naar de foto van haar zoon kijkt die nu werkzaam is in de sector van de biobrandstoffen. 'Want, laten we eens kijken, voor zover ik weet leef ik nog, of niet? Of is het zo dat de dood iets is waar je niets van merkt, terwijl jij doorgaat de dingen van altijd te doen, en je gaat maar door, en je gaat maar door?'

Pavla Saveljeva, voorzitter van de Vereniging Prypjat, zit in een lunchroom in Kiev. Ze werpt een blik op de algemene informatiepagina's van de *Radjanska Zjitomirsjtsjina*. Pavla Saveljeva kijkt naar de serveerster en vraagt zich af waarom, waarom zij. Op dat moment komen andere leden van de vereniging binnen en ze gaan aan de tafel zitten.

Irina Mihajlovna Kolosova van zesenveertig is onderwijzeres. In de weekends leidt ze excursies: 'Ik heb me vaak afgevraagd of die blouse zonder mouwen iets met mijn huwelijk te maken had. Laat ik het uitleggen. De moeder van Inna had een naaimachine gekocht en zij maakte rokken en blouses voor ons, voor alle meisjes, ze rekende alleen maar wat de stof haar had gekost. Het maken, laten we zeggen het vormgeven niet. Onverwachts begon haar keel zeer te doen. Ze moest overgeven en hield niet op totdat ze van binnen helemaal leeg was en er niets overbleef, zelfs geen maag. Toen ging ze dood en liet mijn blouse half afgemaakt achter. De modernste blouse van heel Oekraïne. Mijn Vladislav vond het een mooie blouse en ik zei hem dat het ontwerp zo was, dat het model geen mouwen had. Die zomer vroeg hij mij met hem te trouwen.' Dat heeft Irina Mihajlovna Kolosova allemaal opgeschreven onder een foto van een naaimachine die op de grond ligt.

Madame Valentina serveert maaltijden in een restaurant dat op achttien kilometer van de centrale staat. Ze werkt de helft van de maand, de andere helft geven ze haar vrij. Ze zegt: 'Ik denk dat een beetje radioactiviteit… (hier zwijgt ze een moment en klopt met haar knokkels op de tafel, ze kijkt laatdunkend op) zelfs goed is. Dat meen ik oprecht.'

'De oude Manaltev werd gezegd dat hij zijn huis uit moest en nu weten we niet waar hij is. Als iemand hem ziet, laat hij dan bellen. En dat terwijl we allemaal zo goed voor hem zorgden,' staat te lezen in een brief die de pedagoog Pjotr Lis naar de *Narodnaja Gazeta* stuurde.

'Maar goed dat er wodka bestaat. En dat we niks weten.' Dat commentaar is van Konstantin Borisjenko, die een stralende anjer in zijn knoopsgat draagt.

De schrijfster Svetlana Aleksejevitsj vliegt boven ons hoofd. Over land wordt ze gevolgd door Jelena Filatova op haar Kawasaki. Het ziet ernaar uit dat die twee het geweldig vinden tegen elkaar te racen.

Oletsjka, de vrouw van Rostislav Grijenko, duikt op bij haar echtgenoot. Ze knielt naast hem neer, ze slaat een kruis: 'Rostislav, wat lig je daar op de grond? Zei je niet dat je op een tafel wilde sterven?'

Aleksandr Kroepenkin, voorzitter van de Vereniging van Geregistreerde Tandartsen van Gomel, vond de oude Manaltev uiteindelijk. Hij zat op een stoel midden op straat, hij moest daar al een aantal maanden hebben gezeten. 'Hé, ik ben Manaltev,' zei hij. 'Ik zit hier, in de Branisovskastraat. Luistert er dan niemand? Ik ben Manaltev. Ik zit de hele dag te roepen, ik word er hees van.' Kroepenkin pakte hem bij de arm en nam hem mee naar zijn huis.

Gennadi Goloejenko van de sterrenwacht van Poelkovo: 'O ja, natuurlijk, in het jaar 1986 kwam de komeet Halley behoorlijk dicht bij de aarde. Eind maart was hij heel goed te zien.'

Ik zie iets in een van de vensters van het Voschodgebouw. Het zou een weerspiegeling in het glas kunnen zijn of een gordijn. Het is niet goed te zien, maar dat raam is anders. Ik tel de verdiepingen, het zijn er elf. Ik tel ze diagonaal en bereken het totaal. Ik keer terug naar het raam dat me interesseert, vergroot het beeld op de computer, zoom tot het maximum in en uiteindelijk zie ik iets wat op twee gezichten lijkt.

Dan sluit ik het scherm van de computer.

Het waren de gezichten van twee vrouwen die verschijnen en zwaaien, blanke zielen van Prypjat die kijken naar degene die een foto van ze maakte zonder dat ze op dat moment werden opgemerkt. Misschien zitten er achter andere ramen meer verborgen, zit de stad vol gezichten. De foto is openbaar en iedereen kan hem zien. Maar geloof me, vanwege die twee gezichten zou je op een andere plek willen zijn.

De volgende dag tijdens het ontbijt liet ik Vasja de foto van het Voschod zien. 's Morgens is alles anders, maar de gezichten waren geen inbeelding geweest.

Hé, kijk hen daar, zei Vasja terwijl hij met zijn vinger wees. Dáár hadden de zussen Zorina zich verstopt.

Vasja vroeg een momentje en ik zag hem slikken. Hij schoof de vaas met bloemen uit het midden van de tafel en begon te vertellen dat de gezusters Zorina aankondigingen aan de straat-lantaarns van Prypjat hingen met de oproep te komen dansen in het filmtheater Prometheus, een klinkende uitnodiging voor de volgende avond.

Ze hadden een platenspeler en met behulp van een auto-accu hadden ze een manier bedacht om de platen te laten draaien. In een appartement in de Lesja Oekrainkastraat hadden ze platen van de Pesnjari gevonden, aardig wat Russische volksmuziek en iets uit de laatste periode van de Beatles, voor het merendeel kapitalistische liedjes.

Lavrenti Bachtiarov en hij waren dus naar het feest gegaan.

Vasja verborg zijn lach achter een servet. Daarna hield hij zichzelf bezig met het maken van hoopjes van de koekjeskruimels die op het tafelkleed waren gevallen. Behalve de zussen Zorina verschenen de vroegere plunderaar Chvorost, die zijn werkplunje had vervangen door een kostuum met een vanillekleurig colbert, en de uit Tsjetsjenië gedeserteerde soldaat die permanent in het rode bos bivakkeerde. Vasja wees ieder van hen aan een hoopje koekkruimels toe: hier een Amerikaans echtpaar dat aan den lijve de effecten van radioactiviteit kwam ervaren, daar de spoorweg-beambte van het station van Janov.

Uit Iljintsy arriveerde grootmoedertje Anna Onikonevna Kalita. Ze zat te borduren toen Jevgeni Brovkin met zijn busje voor de deur van haar huis stopte, claxonneerde en naar haar riep: maak u mooi en kom mee. Er is bal in Prypjat, ik geef u een minuut. En Anna Onikonevna Kalita bedacht zich geen seconde. Al is het 't laatste wat ik doe, zei ze. Ze lachte aan een stuk door.

Wat een feest, zei Vasja. Wat een wederopstandingen, en wat een onverwachte toename van de vreugde. Dat waren de beste momenten van de wereld.

Jevgeni Brovkin bracht ook Savka en zijn vrouw in zijn bus mee, de enige buren uit Sjepelitsji. Ik stel voor deze dansavond een keer per maand te herhalen, zei Savka, ten minste. Hij maakte bezwaar tegen de liedjes, want hij hield vooral van *bandoera*-muziek, maar op zijn manier was hij gelukkig. Ook Lidia Savenko met de kleine

Mariika, het enige kind dat in de uitsluitingszone was geboren, kwamen opdagen.

De zussen Zorina versierden de zaal met slingers. Die maakten ze met blaadjes uit een notitieblokje die ze aan een draad regen. Ze maakten frisdrank op basis van appelschillen en verwelkomden iedereen die naar het filmtheater Prometheus kwam alsof het familieleden waren die na een half leven in een ver land naar huis terugkeerden. Maar vervolgens lukte het niemand om een gesprek van tenminste twintig woorden te voeren, dus beperkten ze zich ertoe te glimlachen. Of ze sloegen hun ogen neer in afwachting van de muziek. Als je danst, dans je en dat is dat. Je hoeft niet te praten.

Het bal werd geopend door de kleine Mariika en Nastja Jeltsova, de oudste van allemaal die ook met de bus van Jevgeni Brovkin was meegekomen. Ze wilde haar *chata* niet alleen laten, want ze was bang dat de soldaten het in brand zouden steken wanneer ze zagen dat ze weg was. Maar uiteindelijk verscheen ze in Prypjat. En het deed haar ontzettend goed, want ze danste ondanks haar spataderen.

De aanwezigen hielden niet op met glimlachen en elkaars handen en gezichten aan te raken.

Vasja was op een van de achterste stoelen gaan zitten en zei: Nu hoeven we alleen het dagelijkse leven maar te organiseren, dit was precies wat hij bedoelde wanneer hij aan een geweldig nieuw leven dacht. Olga Zorina kwam toen naar hem toe en zei: De enige die hier niet danst, bent u. Hij begreep dat hij geen mogelijkheid had om onder de verplichting uit te komen, dus vroeg hij of ze de plaat *A moezyka zvoetsjit* van Sofja Rotaroe wilde opzetten. Niet dat het zijn favoriete lied was, maar er viel ook niet veel meer te kiezen. Of nee, zei hij, wacht, laat Lavrenti liever zingen.

Lavrenti Bachtiarov accepteerde onmiddellijk. Willen jullie iets van Demis Roussos horen? Ja? Dan zing ik *Sterven naast mijn geliefde.*

Iedereen applaudisseerde. Lavrenti Bachtiarov beklom het podium van het filmtheater Prometheus, ademde diep in en begon te zingen, waarbij hij de medeklinkers aan het einde van

elk vers lang aanhield en gesticuleerde als een professionele
vertolker van het lichte lied:

Als ik moet sterven
wil ik dat jij hier bent,
ik weet dat zoveel liefde
me zal helpen
naar het hiernamaals
over te gaan.

In de ochtendstond
zal ik afscheid nemen
zonder angst en zonder spijt,
en onder het ijlen zal ik
een leven vol herinneringen
opnieuw beleven.

(Refrein, en hier een denkbeeldig, vol orkest)

Om door de spiegel heen te stappen
wil ik niets anders dan jouw blik
voor mijn reis zonder retour.
Sterven naast mijn geliefde,
inslapen met jouw glimlach
op mij gericht.

Toen het liedje uit was, sloot Lavrenti Bachtiarov zijn ogen en
boog zijn hoofd, zoals de groten uit de wereld van de muziek
dat deden. Zo bleef hij even staan, wachtend op het applaus dat
hij verdiende, want zo mooi gezongen verzen bewezen dat zijn
talenten nog intact waren, zuiver en gevoelig zijn stem, hij was
een van die artiesten in wiens stijl de toekomst te lezen valt. Hij
hoorde echter niets, geen enkele reactie.

Anna Kalita keek hem met open mond aan, net als Lidia Savenko en haar dochter Mariika.

De deserteur uit Tsjetsjenië stond op het punt iets zeggen, maar hield zijn mond.

Chvorost en de spoorwegbeambte van het station van Janov trokken zich ook terug.

Een van de zussen Zorina was al begonnen de platenspeler op te ruimen.

Vasja liep toen naar Jevgeni Brovkin en duwde zijn vinger tegen diens borst: Morgen ga je meteen naar Ilsa, mijn vrouw, en je zegt haar dat het goed met me gaat. Schrijf het adres op, Mirosjnitsjenko 19. Maar noem Prypjat niet.

Jevgeni Brovkin grijnsde: U mist het echte leven, hè?

Ditmaal reisde ik naar Parijs niet omdat Montignoso me dat opdroeg, maar omdat ik niet naar huis durfde terug te gaan. En om nou uren met Vasja en Adela in het Buenavista Mar door te brengen met het bekijken van foto's op de computer, dan liever naar Frankrijk. Maar toen ik Montignoso vertelde dat ik kwam, had hij geen idee van de reden en antwoordde hij dat hij opgetogen was dat ik mijn kandidatuur zo enthousiast opnam. Ik zei hem: Salcedo kan al twee kamers gaan reserveren. Een voor mij en een voor mijn vader. Hoewel, nog beter als het er drie zijn, en evenveel vliegtickets.

De derde persoon was Adela. Zij zou zich over Vasja ontfermen terwijl ik in vergaderingen zat, of bij Jana Ledneva die beloofd had dat ze de volgende keer dat we elkaar zouden zien, niets aan zou hebben onder haar ijsvogelblauwe jurk.

Een taxi bracht ons van het vliegveld naar het Véfour in Vincennes, en daar nam ieder bezit van zijn kamer. Jana, die in de ontmoetingsruimte op mij had zitten wachten, ging met mij naar boven en bestelde twee soupers. Ik had haar een keer gevraagd wat *Samosjol* betekende en zij had me alle details gegeven, ze was er zelfs bij geweest toen Parveaux zich verontschuldigde dat hij mij bij de gendarmerie had aangegeven. Enig idee moest ze hebben, dus maakte ik van de gelegenheid gebruik het haar in vertrouwen te vertellen. Dat Vasja mijn vader niet was, dat die lui van de Franse SAMU Social mij onder dwang de zorg voor hem hadden toegewezen, dat Salcedo hem later naar mijn huis had gebracht en dat hij, om wat voor reden dan ook, nog altijd bij mij was.

Hij heeft het steeds over een verlaten stad, zei ik haar, en ik wil weten of hij dingen uit zijn duim zuigt. Met jouw hulp en die van Adela krijg ik meer zicht op wat ik moet doen, want alleen red ik het niet.

Vraag me wat je wilt, zei ze.

Dat had ik al bedacht: Ga eens na wie Alla Jarosjinskaja is. En vertel me wat dat voor documenten zijn, die van de Operatieve Groep van het Politbureau voor Tsjernobyl.

Jana noteerde de naam op haar hand, want ze had een nicht in Moskou die ze ging bellen, die werkte bij het persbureau Itar-Tass. Jarosjinskaja, hè, herhaalde ze voortdurend alsof ze de persoon die bij die naam hoorde, zou vinden door die hardop uit te spreken.

Ik wist dat de schoonheid van Jana niet breekbaar of wispelturig was, haar lippen hadden me altijd uitnodigend geleken, en die ogen van haar die alles omvatten, haar vrolijk bewegende handen, net als de stijl waarmee ze zich kleedde, ze was jonger dan ik en daar benijdde ik haar om.

En nu drukte ik haar bovendien mijn dank uit voor wat ze zou kunnen uitzoeken.

Dat was dat Alla Jarosjinskaja helemaal geen verzinsel was van Vasja. De dag erop vertelde ze het me, na me bij de arm naar het terras van het Véfour te hebben getroond. Waar ben jij mee bezig? Jarosjinskaja is namelijk de naam van een voormalig Oekraïens parlementslid, adviseur voor atoomveiligheid van ex-president Boris Jeltsin.

Toen de Communistische Partij verboden werd, kon zij de geheime protocollen over Tsjernobyl inzien. Ze vroeg een kopie aan het Kopieënbureau van het Russische parlement, maar dat zei nee. Ze voerde aan dat ze afgevaardigde was, maar nogmaals nee. Toen nam ze er iedere dag een paar mee, buiten het zicht van de agenten van de KGB, en maakte er foto's van.

We gingen aan een tafel zitten.

Om te voorkomen dat je over me gaat klagen, zei Jana Ledneva terwijl ze een map met vergulde hoekbeschermers opende, heb ik deze documenten voor je meegebracht. Ze schoof haar stoel dichter naar de mijne. Mijn nicht heeft me ze vanmorgen per e-mail toegestuurd en ik heb ze net bij de Sectie Mol uitgeprint.

Vertrouwelijk. Protocol nr. 5 van 4 mei 1986. Tot nu toe zijn in totaal 1882 burgers wegens straling opgenomen in het ziekenhuis. 38 000 patiënten zijn onderzocht. Een dag later is het aantal opnames in ziekenhuizen opgelopen tot 2757.

Vertrouwelijk. Protocol nr. 7 van 6 mei 1986. Om negen uur 's morgens zijn er 3454 patiënten opgenomen, van wie 2609 onder behandeling zijn. In ziekenhuis nummer 6 van Moskou komen 179 bestraalde personen binnen. Op 8 mei zijn het er tot elf uur 's morgens 5415.

Vertrouwelijk. Protocol nr. 12 van 12 mei 1986. 10 198 personen zijn opgenomen moeten worden. Jarosjinskaja zegt dat de zieken vanaf 13 mei massaal worden ontslagen. Even terug, hier staat het. En Jana wees me met haar vinger op een paragraaf in het cyrillisch die ik niet begreep, wacht even, zegt ze, ik zal het voorlezen, dan begrijp je de ontslagen:

Vertrouwelijk. Protocol nr. 9 van 8 mei 1986. Het Ministerie van Volksgezondheid van de Sovjet-Unie decreteert nieuwe normen voor aanvaardbare niveaus van blootstelling aan ioniserende straling, vanaf vandaag kunnen die niveaus tot vijftigmaal de voorheen geldende norm overtreffen. Zo wordt de volksgezondheid gegarandeerd, zelfs als dit ongunstige stralingsperspectief twee en een half jaar van kracht blijft.

Langs een van de wandelpaden van het Véfour verscheen Vasja aan de arm van Adela, die hem een jack om de schouders had geslagen. Al wandelend genoot hij van de kleurenpracht van vroege cyclamen en ik stond op om hem te begroeten.

Vraag van de Wit-Russische afgevaardigde Aleks Adamovitsj aan de vicepresident van de Ministerraad van de USSR: 'Is het waar dat de districten van de regio Mogiljov die op ruime afstand van Tsjernobyl liggen, zoals Krasnopolje, Slavgorod en Tsjerikov, zulke grote doses straling ontvingen omdat de radioactieve wolk die richting Moskou ging, gebombardeerd werd zodat hij in dat gebied terecht zou komen en de hoofdstad zo gespaard zou blijven?'

Over de papieren gebogen streek Jana een haarlok keer op keer achter haar oor. Ze was op de balpen gaan bijten.

Vertrouwelijk. Protocol nr. 10 van 10 mei 1986. In haar tweede beschikking verordent de Operatieve Groep van het Politbureau het Ministerie van Landbouw om de oogst aan tuinbouwgewassen, knollen en andere producten van het verontreinigde land niet naar Moskou te sturen. Naar andere steden van de Sovjet-Unie kan dat wel.

Deze maatregelen werden genomen om de andere atoomcentrales zeker te stellen, die onder geen beding hun productieritme mogen stoppen.

Jana Ledneva liet me de kopieën zien van de Russische originelen en legde ze opzij zonder zich er iets van aan te trekken dat ik haar geen aandacht schonk.

Vertrouwelijk, las ze. *Protocol nr. 32 van 22 augustus 1986.* Om een overdosis aan radioactieve stoffen in het organisme te vermijden, moet het vlees verspreid worden en gebruikt in vleeswaren en conserven die een tiende deel van dit vlees bevatten, vermengd met schoon vlees. Dat geldt voor alle gebieden, inclusief Moldavië, de Transkaukasische Republieken, Kazachstan en Centraal-Azië. De enige uitzondering vormt Moskou, waar geen zendingen besmet vlees heen mogen worden gestuurd.

Vasja ging naast mij zitten, tevreden. Adela had nieuwe kleren voor hem gekocht en nu zag hij er anders uit. Intussen ging Jana verder met lezen, hoewel haar stem elke zin verder daalde. Ze las al niet meer voor mij, maar voor haarzelf. Kijk deze papieren, Vasja, wellicht kende u ze nog niet.

Maar hij schoof ze met een hand opzij. Op mijn leeftijd, zei hij, wil je niet méér maar minder weten.

Ik riep een ober en vroeg hem het eten op die tafel vol papieren op te dienen. Iets licht verteerbaars op basis van groente, gekookte vis, ik kan ze vragen het fijn te malen, Vasja. Als u wilt.

Jullie zullen geen andere kans krijgen om op de televisie te komen. De gids, Jevgeni Brovkin, was het met Vasja eens. Ja, jullie zullen beroemd worden, zei hij.

Beloroesskaja Gazeta: 'Gemeenschap van bewoners in Prypjat ontdekt'. Kijk hier maar, en Jevgeni liet hun een knipsel zien. Nog even en er wordt nog een boek over jullie geschreven.

Bovendien kunnen we er goed aan verdienen. Waar komt RTL-tv vandaan, vroeg Vasja aan Jevgeni Brovkin. We bieden ze een overnachting in het Polesje aan en we stellen een tarief vast om ons te mogen filmen. Zoveel voor een close-up.

Vasja klom op een stoel.

Hebben jullie dat dan niet in de gaten? De verkoop van bestraalde insecten betaalt heel weinig en daar kunnen we niet van leven.

Het sneeuwde in Prypjat en ze probeerden zich allemaal te warmen in de bibliotheek van het *gorkom*, waar in de kachel een flink vuur brandde. Nastja Jeltsova haalde uit een zak van haar schort twee uien van het begrafenishart van haar schoonzoon Pjotr. Ze woog ze in de hand. Ik stem tegen, zei ze. Laten ze ergens anders gaan filmen.

Anna Zorina vroeg het woord. Ze ging ook op een stoel staan om niet voor Vasja onder te doen en zei luid: Ik weet waar een magazijn is, dicht bij de Straat van de Bevlogenen. Nieuwe kleding voor iedereen. Ik zeg dat omdat ik niet wil dat we op de televisie komen, alsof we geesten zijn.

Met een goed voorkomen wel, dus.

Laten we stemmen, zei iemand achterin. Vasja maakte daarom van een prullenmand een democratische stembus, niks geen handopsteken. Nastja Jeltsova nam het tellen op zich. Er waren drie stemmen voor, de rest tegen. Ze keken elkaar aan en wisten niet of ze er goed aan hadden gedaan zo te stemmen. Vasja van zijn kant voelde zich teleurgesteld. Ik begrijp jullie niet, zei hij. Met zo'n instelling komen we nergens.

Ja, natuurlijk, zei Lavrenti Bachtiarov, dat is precies wat we willen, nergens heen. Zoals we hier zitten, zitten we goed.

Hoewel we moeten toegeven, of we nou op de televisie komen of niet, nieuwe kleren zouden ons allemaal goed uitkomen.

Chvorost dacht aan zijn vanillekleurige pak dat hij in een kast bewaarde voor als er nog dansfeesten zouden zijn. Hij zei dat een andere garderobe hen zou opmonteren. Een reservepak was een van zijn diepste verlangens. Dus, voegde hij eraan toe, stel ik voor die hele stemming te vergeten en nu meteen naar het magazijn te gaan, kijken wat we meenemen.

Ze gingen allemaal akkoord en binnen vijf minuten was de expeditie naar de Straat van de Bevlogenen gereed. Iedereen knoopte zijn jas dicht zonder een knoop over te slaan en bedekte zijn hoofd met een capuchon, ze konden het beste samen gaan om niet te verdwalen, bovendien, als er honden verschenen zouden ze hen niet aanvallen wanneer ze als groep gingen.

Anna Zorina opende het pad door de sneeuw, ze zei dat het magazijn in een kelderverdieping zat, wie het eerste mag kiezen is Chvorost, daarna kiest iedereen een paar kledingstukken en Jevgeni Brovkin neemt de rest mee om in Gomel te verkopen. Ze liepen achter elkaar zodat de stappen in de sneeuw van de eerste de tweede de weg wezen, die van de tweede de derde, en daardoor troffen Nastja Jeltsova en Anna Kalita, die oud waren en achteraan liepen, platgetrapte sneeuw en viel het lopen hen makkelijker. Ze liepen boulevard in boulevard uit, de hemel was amper van de aarde te onderscheiden, alles was wit, de lucht, de gebouwen, de straat. Ze hielden halt voor een metalen rolluik, Chvorost en de man uit Janov tilden het op, Vasja was omgelopen om te zien of ze van achteren binnen konden, en uiteindelijk bevonden ze zich met z'n allen in een gang met schappen aan beide kanten, een grote deur aan het einde, trappen, een zaal vol dozen met kleren.

Nastja Jeltsova zei:

Nou weet ik nog steeds niet wat we over dat gedoe met de televisie hebben afgesproken.

Maar, voor de dozen geknield, reageerden de mensen niet, want ze waren druk in de kleren aan het wroeten om eerder dan anderen een goed kledingstuk te vinden. Lidia Savenko legde voor haar dochter Mariika een anorak opzij, voor zichzelf reserveerde ze een overjas, twee liever. Lavrenti Bachtiarov aarzelde tussen een jack en een paar stevige leren handschoenen. Savka en zijn vrouw ruzieden over een broek van ribfluweel. De twee Amerikanen zochten in plaats van kleding naar matroesjka's. De spoorwegman van Janov stelde zich tevreden met een trui met moderne ruiten, meer had hij niet nodig, zo was hij. Hoewel, toen hij zag wat de anderen deden, pakte hij ook nog maar een tweede trui en een paar poncho's en een gebreide maillot. Uit een doos die hij boven van een schap haalde, pakte de deserteur uit Tsjetsjenië een aantal bivakmutsen en trok ze, de een over de ander, over zijn hoofd. En een bontjack en overhemden en een driekwartjas. Anna Kalita, die altijd koude voeten had en geen andere remedie had dan wrijven, wilde een paar slobkousen of wintersokken. Terwijl Olga Zorina haar zakken vulde met veelkleurig katoenen ondergoed verweet ze haar zuster dat ze haar niet eerder had ingelicht over dat magazijn. Vasja wilde dat iemand hem vertelde of een overhemd als een half kledingstuk werd beschouwd zodat hij er twee kon nemen. Aangezien niemand naar hem keek, pakte hij een stapel van vijf overhemden. Jevgeni Brovkin zei dit is voor mij, hij bedoelde een dik jack. Vervolgens zette hij een hele doos op zijn schouder en nam hem mee.

Chvorost was intussen naar een kostuum aan het zoeken, maar vond er niet een. Vastbesloten als hij was zich in ieder geval met iets nieuws te kleden, koos hij een Russische muts van astrakan en zette hem meteen op om te kijken hoe hij stond.

Toen hij de mening van anderen wilde vragen, was er niemand meer. Omver gegooide dozen, wat kledingstukken op de grond.

Het was Jana Ledneva die me sprak over de theorie van de lepto-nische monopolen. Prachtige Jana, wier huid die nacht aanvoelde als iets wat rechtstreeks uit de hemel komt, dezelfde contouren.

Ze kwam de douche uit en met opgestoken vinger zei ze: Vol-gens mij heb je maar twee opties. Ze liet zich met haar gezicht naar beneden op het bed vallen en tekende op het kussen een cirkel waaruit twee pijlen kwamen, naar beide kanten een. Of je ontdoet je van Vasja of je brengt hem maar beter meteen naar Prypjat. Anders zal je zien dat ze jullie weten te vinden.

Jana Ledneva had nog druppels van de douche op haar rug en ik droogde haar af, en een beetje lager, en nog een beetje lager.

Hou op en luister.

Hem terugbrengen naar de gendarmes, uitgesloten. Naar de Franse SAMU Social, ook niet. Hem naar een bejaardentehuis brengen is ook geen oplossing, daar willen ze hem niet hebben tenzij je de maandelijkse bijdrage betaalt. Wat blijft je over? De Wit-Russische ambassade?

Jana Ledneva kroop tegen me aan.

Dat is waar ook, zei ze, ik heb een boek voor je meegebracht. Ze sprong uit bed en liep naar de stoel alsof ik het dringend moest zien, en haalde het uit de tas. Ze kwam weer in bed, ze leek het be-haaglijk te vinden in die warboel van lakens. Ze ging met gekruiste benen zitten en begon erin te bladeren met de bedoeling mij uit te dagen het van haar af te nemen en zo een beetje te stoeien. Maar ik vroeg het haar niet, ik was afwezig. Haar naakt te zien liet me denken aan de verandering van leven waar zij het vaak over had.

Kijk hier, zei ze, ik lees je voor, er staat dat de fysicus Leonid Oeroetskojev in opdracht van het Koertsjatov-Instituut voor Atoomenergie tien jaar lang onderzoek deed naar de oorzaken van het ongeluk. Zijn hypothese ontkent alle andere. Geen mense-lijk falen, geen ongeluk, geen defect aan de RBMK-1000-reactoren.

Aan het woord is Oeroetskojev.*

De buizen die de koelvloeistof van de reactor overbrengen naar een van de wisselstroomturbines, lopen langs elektriciteitskabels die aan de muur bevestigd zijn. Een geweldige kracht heeft de bevestigingsklemmen losgerukt en de kabels naar de stoombuizen getrokken. Daar begint alles. Buizen en kabels. Vergeet die twee woorden niet. Buizen en kabels.

Een ander mysterie is dat van de vijftig ton nucleaire brandstof die nergens te vinden zijn. Ze zijn niet ontsnapt en ook niet in de omgeving terechtgekomen, dat staat vast.

Aanvankelijk dachten we dat ze zich met de aarde tot een soort magma vermengd hadden.

Maar de berekeningen kloppen niet. Daarom concludeerden de geleerden dat de isotopische samenstelling van een deel van de nucleaire brandstofresten is gewijzigd. Alsof ze getransformeerd zijn in chemische elementen die er voorheen niet waren zoals aluminium, dat in de bouw van de reactor niet werd gebruikt. En daar is er heel veel van. Echt heel veel.

Oeroetskojev, die niet begrijpt waarom de centrale op hol sloeg, stelt een nieuwe hypothese voor, die gebaseerd is op de theorie van de Franse fysicus Vincent Lochak.

Lochak heeft een elementair deeltje ontdekt dat hij een leptonisch magnetische monopool noemt.

Het is een massaloos deeltje dat ontstaat door een nog onopgehelderde schommeling tussen de elektriciteit en de magnetische kracht, als gevolg van een ontlading.

In het Koertsjatov-Instituut voor Atoomenergie in Moskou werden honderden laboratoriumexperimenten uitgevoerd. Wij denken, zegt Oeroetskojev, dat het begin van alles in de machinekamer gezocht moet worden, niet in de reactor. Wij denken dat de explosie een elektrische oorzaak had.

En bovendien dat het bevel van Akimov om de reactor met een druk op de noodknop te stoppen niets te maken had met het op hol slaan van de reactor. Want als de oorzaak van de eerste explosie kortsluiting was geweest, dan zouden de monopolen via de koelbuizen, die contact maakten met de kabels, naar de reactor zijn gegaan.

Onze theorie is buitenissig, want de leptonisch magnetische monopolen van Lochak verkeren nog in de theoretische fase. Maar het is allemaal wel coherent.

Bij het bereiken van de kern zou die stroom magnetische monopolen een toename van de radioactiviteit hebben veroorzaakt die uiteindelijk leidde tot een reactie van nucleaire aard. Niet de klassieke kettingreactie, maar een soort transmutatie van laag-energetische elementen. Dus eigenlijk zou alles begonnen zijn met een kortsluiting.

Het verschijnsel zou zich in een andere centrale kunnen herhalen. Feitelijk had de derde explosie in Tsjernobyl, die van 1991, plaats in de machinekamer, niet in de reactor.

Bijna zeker weer kortsluiting. Dat zijn we allemaal aan het onderzoeken.

Zeker is dat als Lochak, Roechadze, Filippov en ik gelijk hebben, we wellicht op het punt staan een nieuwe manier te ontdekken om uranium te verrijken, en ons ook te ontdoen van nucleair afval door transmutatie van gevaarlijke in schone elementen, de monopolen zouden ons naar de interacties voeren.

We worden hard aangevallen, zegt fysicus Leonid Oeroetskojev. Maar wanneer we de processen in het laboratorium reproduceren, is dat de uitkomst. Ik kan het bewijzen.

Het geblaf van een hond wekte Chvorost. Hij liep naar het raam en zag vier mannen uit een aftandse Kamaz stappen. Ieder van hen droeg een sloophamer over de schouder. Om het laden te vergemakkelijken, bracht degene die reed de achterkant van de auto tot bij een van de ramen van het Polesje en de anderen begonnen zich te verspreiden.

Plunderaars, siste Chvorost, waarbij hij zijn mond met zijn hand afschermde, hij hoefde ze maar te zien om te weten met wat voor slag lieden hij te maken had. Maandenlang was hij zelf plunderaar geweest, een van de besten.

Het is Tarasenko, zei hij. Ambrosimov ken ik ook goed, die met het militaire jack, die een broodje loopt te eten. De anderen weet ik niet wie het zijn.

Ze komen naar binnen. Oppassen met Tarasenko. Hij heeft er een gruwelijke hekel aan iemand tegen te komen als hij aan het werk is, laten we maar gaan.

Vasja nam Lavrenti Bachtiarov, die die ochtend niet overeind kon blijven, in zijn armen en volgde Chvorost door de gangen van het Polesje. Lavrenti, wat ben je er weer slecht aan toe, zei hij. Je had niet zo veel moeten zingen op het bal van de zusjes Zorina.

Ze liepen door zalen, doorkruisten eindeloze gangen. Hoe de andere buren van Prypjat te waarschuwen dat ze op hun hoede moesten zijn, ze wisten het niet, bedacht Chvorost. Dus pakte hij zijn notitieblokje en schreef: burgerbescherming organiseren. En hij onderstreepte het driemaal. Toen zag hij op de grond een paar stukken van een gebroken spiegel en raapte er een op, voor het geval hij tegenover Tarasenko zou komen te staan.

Hierlangs.

Chvorost was een makkelijke loper en nam gewaagde beslissingen. En niet alleen dat, ook kon je zien dat hij het Polesje op zijn duimpje kende.

Ze klommen drie verdiepingen omhoog plus een diensttrap tot ze op het platte dak kwamen. Aangezien daar niets was wat later verkocht kon worden, tenzij ze dachten de schoorsteen los te wrikken, zouden Tarasenko en de anderen niet zo hoog komen. Waslijnen en niet veel meer.

Ik heb het de hele tijd over Tarasenko, maar Ambrosimov, die met het militaire jack, is nog erger. Er wordt gezegd dat hij de hand van een van degenen die met hem werkten, afhakte omdat hij een deel van de buit achterover had gedrukt.

Chvorost, Lavrenti Bachtiarov en Vasja gingen achter het lifthuis zitten. Ze trokken hun benen op om zich kleiner te maken. Met het stuk spiegel dat hij in zak had gestoken, begon Chvorost signalen te sturen naar de zussen Zorina. Trouwens, de flessen, zei Chvorost.

De flessen met mutaties die Jevgeni Brovkin via internet verkocht. Ze stonden in de vitrine op de tweede verdiepeng, achterste zaal.

Ik ga naar beneden.

Vasja greep hem bij zijn mouw, maar met een zwaai rukte hij zich los. En wat als Tarasenko ze ziet en ze meeneemt, wat dan?

Die flessen waren belangrijk voor de overleving van hen allemaal. Dankzij Ogarjov van het Instituut voor Ecologie en Evolutie hadden ze onlangs gehoord dat het abnormaal was dat de ene voelspriet van een larve van de *Pyrrhocoris apterus* korter was dan de andere. Er was een beschrijving gemaakt van een tumorweefsel in de doornappelplant. Korenaren, een pompoen. In enkele voorbeelden die jullie me stuurden, antwoordde Ogarjov, is te zien dat de groei geen rekening houdt met de zwaartekracht, bijvoorbeeld in de ongewone positie van de scheuten van de sparrentakken. Ze stuurden hem een snoek uit de vijvers. Ogarjov en zijn collega's ontdekten afwijkingen ten opzichte van de normale ontwikkeling van de eitjes. Muizen. Ogarjov antwoordde dat het aantal abnormale cellen van de muizen buitengewoon groot was. Een was er blind, bij een ander was de kiem van een extra pootje zichtbaar. Stuur me zilverkarpers uit het Gloebokojemeer. Vier bleken er steriel. En de kikkers. Bij de meesten verdelen de cellen zich niet overeenkomstig het normale patroon. Trouwens, er is een politieke partij uit het Hongaarse deel van het Karpatenbekken die om monsters vraagt, het betaalt goed.

Dus zei Chvorost tegen Vasja: Dat los ik acuut op, Tarasenko kent me.

Voor de zekerheid voelde hij of hij de scherf van de spiegel nog had. Uit de andere zak van zijn soldatenjasje haalde hij een zwarte bivakmuts en zette die op, gaf een schouderklopje en vertrok.

Een paar minuten later klonk er een schot.

Vasja durfde zich niet te verroeren, zelfs niet toen hij zag dat de ogen van Lavrenti Bachtiarov dichtvielen alsof hij het was die door de kogel was getroffen, direct of indirect, dat was om het even, feit was dat hij niet opkeek en zich ook niet interesseerde voor wat er gebeurde, en misschien was het beter zo. Maar het schot had beneden geklonken, dus geen doden op het dak en ook geen gewonden, op een kogel volgt onmiddellijk bloed en dat was nergens te zien. Ook al deden zijn benen zeer doordat hij zich zo lang niet kon bewegen en de kou zijn gewrichten had verstijfd, en raakte hij bovendien vermoeid omdat hij Lavrenti Bachtiarov zo lang gehurkt tegen zijn borst gedrukt hield, Vasja bleef een tijdje zo zitten, en ten slotte begon hij te bidden omdat hij bang was, hij telde de minuten en bleef zo zitten zonder te weten wat er was gebeurd en wie het doel van het schot was geweest, en hij bekruiste zich en bekruiste Lavrenti Bachtiarov, hij zou toch niet werkelijk bezig zijn te sterven, ongevoelig al voor de pijn en voor het ongemak, ineengedoken in een hoek van het plat dak van het Polesje, in afwachting van de onmiddellijke aanvang van de verticale reis. Vasja raakte zijn arm aan en niks, hij fluisterde hem in het oor gaat het goed. Zeg me of het goed gaat.

Totdat er eindelijk geluiden klonken en daarna voetstappen, en hij Chvorost weer zag verschijnen, die bloedvlekken op zijn kleren had.

Hij had de flessen gered, zei hij, maar het had hem wel tot moordenaar gemaakt.

Terwijl hij zijn uniformjasje schoonmaakte in een plas op het dak, vertelde hij dat Tarasenko niet had willen onderhandelen. Welke wet verplichtte hem daartoe? In Prypjat geen enkele, dat was duidelijk. Wellicht die van de broederschap met een andere plunderaar, had hij geantwoord.

Tarasenko trok een pistool en schoot mis, wapens waren nooit zijn sterke kant geweest, hij droeg ze voornamelijk om angst aan te jagen. Dus toen had die dappere Chvorost zich op hem gestort, de scherf van de spiegel in zijn nek gestoken, en na een halve minuut worstelen en bijten een einde gemaakt aan de schermutseling.

Bij het horen van het schot wilden Ambrosimov en de anderen Tarasenko te hulp schieten, maar ze vonden hem niet, ze zagen alleen bloed op de trappen en toen verdween het spoor. Wellicht had hij zich tegen een hond verdedigd, dachten ze. Maar toen hij niet antwoordde, begonnen ze ongerust te worden. En dat terwijl ieder van hen een sloophamer op de schouder droeg. Wat was dat voor grap. Of hij kwam meteen tevoorschijn of hij bleef daar maar, want zij zagen er de lol niet van in.

Ze bleven hem roepen totdat Ambrosimov door een raam keek en in de verte schaduwen naar het Polesje zag lopen. Ze kwamen uit verschillende straten, als geesten bijeengeroepen ter vergadering. Zwarte schaduwen, omhulde wezens die bij het horen van het schot kwamen kijken wat er aan de hand was.

Abrosimov zei dat hij het daar niet meer uithield en zijn angst stak de anderen aan. Dus keerden ze rennend terug naar de Kamaz, ze hoefden helemaal geen buit meer, alleen hun leven redden. De flessen bleven staan waar ze stonden. Evenals Tarasenko, met doorgesneden keel achter een deur.

De mensen van Prypjat zagen een vrachtauto op volle snelheid wegrijden. Daarna hoorden ze stemmen via het trapgat.

Ze gingen naar boven en hoorden het verhaal van Chvorost.

En niemand kwam op het idee om hem van moord te beschuldigen.

Het tegenovergestelde, weldoener noemden ze hem.

Bewaarengel noemden ze hem, held van Prypjat. En ze klapten voor hem toen hij, gebruikmakend van de omstandigheid dat Tarasenko nog warm was, zijn bloed aftapte om Lavrenti Bachtiarov daar ter plekke een bloedtransfusie te geven. Want Anna Zorina had gezien dat het urgent was, ze zei dat ze het risico van de resusfactor voor lief nam zo slecht als Bachtiarov eraan toe was, want ze had daar niets om de compatibiliteit te onderzoeken, maar ze had slangetjes nodig of ten minste een goede injectiespuit en naalden. De Amerikanen, die in een Chevroletbusje met een laboratorium voor hun experiment met een radioactief leven in Prypjat waren gearriveerd, hadden van alles bij zich, zelfs een complete kit om zich te tatoeëren, iets waar ze gek op waren. Natuurlijk ook injectiespuitjes, die op dat moment nodig waren.

Het kostte veel inspanning Tarasenko aan zijn voeten aan een balk op te hangen, want hij moest ten minste honderd kilo wegen. Maar zo vormde zich geen bloedplas en zakte het bloed volgens de wet van de zwaartekracht naar beneden. De wond werd een beetje verder geopend en uiteindelijk moest er halverwege de hals nog een snee worden gemaakt om het beter te laten stromen.

En toen ze het bloed in een ondersteek hadden opgevangen gingen ze Lavrenti Bachtiarov halen om hem de transfusie toe te dienen, maar hij was nergens te vinden. Iedereen keek om zich heen. Maar hij was hier zojuist nog, zeiden ze.

Ze riepen hem om het hardst, tilden dozen en meubels op, gingen zalen af. Geen spoor.

Vasja Nesterenko bedekte zijn gezicht met zijn handen. Zo bleef hij een minuut of twee zitten zonder verder nog iets te willen zien of gezien te willen worden, en ook degenen die spraken niet te willen horen. Totdat hij opstond, op niemand acht sloeg en de straat op ging. Hij knoopte zijn beide jassen dicht en stapte op de fiets, hij reed een paar boulevards af, kruiste een paar bevroren pleinen, voorzichtig trappend zodat de wielen niet zouden slippen.

Hij keek naar links en naar rechts waarbij hij met zijn hand een vizier maakte om zich tegen de sneeuwjacht te beschermen en spoedig zag hij sporen die naar de tuin achter het Polesje leidden. Hij fietste om de benedenverdieping heen en daar zag hij Lavrenti Bachtiarov, de armen om het graf van Jekatarina geslagen. Bedekt met sneeuw. Alweer hier, zei hij tegen hem. Hetzelfde als gisteren en als twee dagen terug. Dat betekent dat je iets voelt aankomen.

Hoe heb je alleen kunnen lopen als je er zo slecht aan toe was?

Maar Lavrenti Bachtiarov gaf geen antwoord.

't Is deze kou die je van streek maakt, hè? Zo veel kou dat het wel lijkt of het twee winters tegelijk zijn.

Kom, laten we gaan, hier krijg je nog een longontsteking en kan je niet meer zingen en dat is het einde.

Vasja gaf hem een paar klopjes op de schouder, maar Lavrenti Bachtiarov bewoog nog altijd niet.

Misschien wil je ook wel alleen zijn om aan je overleden Jekatarina te denken.

Zoals ik aan Ilsa denk.

Hoewel zij natuurlijk nog leeft. Bij haar vriendin Jelena Demidova. Dat is wel een groot verschil.

Vasja deed een van zijn twee overjassen uit en legde die Lavrenti Bachtiarov om de schouders. Toen ging hij naast hem zitten.

Trouwens, je zou Jelena Demidova moeten kennen, ze is vrijgezel. Een heerlijke geur uit de streek van Vitebsk.

Jelena Demidova, wat een vrouw.

Vasja deed al het mogelijke om niet te zwijgen.

Ook goed, als dat je niet interesseert, dan zal ik je een geheim vertellen. Hij liet zijn stem dalen en sprak hem nu in het oor. Het mag vreemd lijken, maar ik heb een motor.

Ja, echt, een motor.

Het is een heuse Oeral 750 cc.

Ik houd hem verborgen in de Helden van Stalingradstraat, in geval van plunderaars.

Ik heb bedacht dat we 'm uit Prypjat smeren zodra de kou voorbij is. We gaan het opnieuw proberen, maar dan met de motor. Dag fiets.

Hoor je me, Lavrenti?

We gaan naar een dorp aan de Middellandse Zee.

Dat de Middellandse Zee het beste is wat bestaat? Ja? Jij zegt het, Lavrenti, jij zegt het.

Het schijnt dat in Ligurië alles vol staat met rozenaanplantingen. En jij bent gek op rozen.

Bovendien, er zijn hele beroemde zangers op het Festival van Sanremo afgekomen en sommige hebben dat gewonnen, Celentano, Domenico Modugno, de groten, Lavrenti, de besten.

En Salvatore Adamo. Kun jij het je voorstellen?

Vasja was begonnen te huilen.

Nou ja, dat maakt ook niet uit. De zaak is dat jij in Sanremo ook een ster zult zijn.

Je zou daar rondjes kunnen rijden op de Oeral 750 cc maar liefst. Tweecilinder.

Terwijl hij zijn tranen met de mouw van zijn jas droogde, beloofde Vasja Lavrenti Bachtiarov dat hij het vuur die avond niet zou laten uitgaan, als hij met hem terug zou keren naar het Polesje. Ze zouden het om beurten bewaken. Toen veegde hij hem de sneeuw uit z'n gezicht. O, Lavrenti. Arme Lavrenti.

Algemene Vergadering van de Verenigde Naties. Zestigste zittingsperiode. Punt 73c van het programma. 24 oktober 2005. Optimalisering van de internationale inspanningen om de gevolgen van de ramp bij Tsjernobyl te bestuderen, te lenigen en tot een minimum te reduceren.

Rapport van de Secretaris-Generaal, overeenkomstig Resolutie 58/119 van de Algemene Vergadering van 17 december 2003.

Woordelijk:

1. Honderdduizenden personen lijden nog altijd onder de gevolgen van de ramp *(niettemin, in de rapporten van de VN zelf van 2001 en 2003 wordt gesproken over 2 miljoen getroffenen in Wit-Rusland, 1,5 in Oekraïne en 2,7 in Rusland. Samen 6,2 miljoen personen. En in het rapport van 1995 2,5 miljoen in Wit-Rusland, 3,5 miljoen in Oekraïne en 3 miljoen in Rusland. Opgeteld 9 miljoen personen).* De straling is in de meeste regio's afgenomen tot het natuurlijke basisstralingsniveau *(daarentegen staat een paar pagina's ervoor, in Annex I van datzelfde rapport, dat het gehalte cesium-137 binnen niet eerder dan driehonderd jaar door natuurlijke desintegratie tot onder de 37 kilobecquerel per vierkante meter zal dalen, en dat het in de uitsluitingszone nog langer zal duren).* Sinds 1986 zijn er ongeveer vierduizend aan de ramp gerelateerde gevallen behandeld *(dat is niet wat te lezen staat in de Annexen I, II en III, daar staat dat er in 2004 in Oekraïne 2 318 300 personen onder observatie van medische instellingen stonden, anderhalf miljoen in Wit-Rusland en dat de Russische overheid 10 000 zieken behandelt. Opgeteld 3 828 300 personen).*

2. De royale vergoedingen, toegekend aan de bewoners van de streek van Tsjernobyl *(uit het VN-rapport van 2001: '... de beschikbare middelen verminderen voortdurend. De buitenlandse investeringen in de getroffen regio's zijn praktisch afwezig [...] Vanwege het ernstige gebrek aan middelen is de omvang van de meeste programma's van de VN gereduceerd en zijn andere beëindigd'),* die royale vergoedingen dus, hebben bijgedragen aan de bevordering van een afwachtende en afhankelijke houding.

6. Dit bracht de VN ertoe in 2002 te besluiten tot een nieuwe

strategie, gebaseerd op het rapport *The human consequences of the Chernobyl nuclear accident: a strategy for recovery,* die erin bestaat over te gaan van een benadering die uitgaat van humanitaire hulp naar een die gebaseerd is op bevordering van zelfvoorziening.

7 en 8. Daartoe hevelde het Coördinatiebureau voor Humanitaire Aangelegenheden van de VN (UNOCHA) zijn bevoegdheden met betrekking tot de Coördinatie inzake Tsjernobyl (CACH) over aan het UNDP, het VN-Ontwikkelingsprogramma. De chef van het UNDP nam de coördinatie van de Internationale VN-Samenwerking inzake Tsjernobyl (UNCICCH) over uit handen van de Adjunct-Secretaris-Generaal voor Humanitaire Aangelegenheden. Het UNDP heeft erkend dat het noodzakelijk is om de praktijk van het OCHA voort te zetten om periodieke vergaderingen bijeen te roepen van het Vierpartijen Coördinatie Comité inzake Tsjernobyl (QCCCH), bestaande uit de UNCICCH en de Ministers voor Tsjernobyl-problemen van de Russische Federatie, Oekraïne en Wit-Rusland. In dit laatste geval werden de werkzaamheden van de UNARA, de VN-Assistentie bij Herstelwerkzaamheden, gekanaliseerd via het VN-Rehabilitatie Programma (CORE).

16. Naargelang de bewoners van de getroffen gebieden hun eigen overleving meer op zich nemen, vermindert zodoende in sterke mate de last die de regeringen van de staten dragen.

18. Deze nieuwe benadering heeft een enthousiast onthaal gekregen van de kant van de donateurs.

21 en 22. De Wereldbank publiceerde in juli 2002 het onderzoek *Belarus: Chernobyl Review,* waarin wordt aanbevolen de publieke uitgaven te rationaliseren en te heroriënteren. Bijgevolg werd het leeuwendeel van de uitgaven vanaf dat moment bestemd voor de aanvoer van verwarming en warm water.

38. De Europese Commissie financierde een project waardoor in 2004 aan een fabriek van tafelzout in Mazyr apparatuur werd geleverd om het gebruik van jodium te bevorderen. *(In het tweejaarlijkse verslag van de VN van 2003 wordt een project 'Zaad van de hoop' genoemd, waarmee de Wit-Russische landbouwers geholpen werden om koolzaad op vervuilde grond te zaaien. Op die*

manier wordt voor consumptie geschikte koolzaadolie verkregen die verbouwd is op radioactieve grond.)

54. Het Internationaal Atoomenergie-Agentschap richtte het Forum voor Tsjernobyl op, waarin zitting hebben de WTO, het UNDP, de FAO, het OCHA, het UNEP, het UNRCCAR en de Wereldbank, evenals de regeringen van Wit-Rusland, Oekraïne en de Russische Federatie. Zijn taak: het tegengaan van de onjuiste beeldvorming over de gevolgen van Tsjernobyl.

57. De conclusies van het Forum voor Tsjernobyl droegen een geruststellende boodschap uit. Afgezien van een toename van het aantal gevallen van schildklierkanker, waarvan sommige gemakkelijk te genezen waren, vond het Forum geen diepgaand effect op de gezondheid van de bevolking. *(In het rapport van diezelfde VN van 1995 valt echter te lezen dat de aandoeningen aan het zenuwstelsel en aan de bloedsomloop bij de kinderen van Wit-Rusland vanaf 1988 met 43% waren toegenomen; de problemen met het botten- en spierstelsel en het bindweefsel met 62%; de ziektes aan de bloedproducerende organen 24%. Kwaadaardige tumoren 38%. Hetzelfde rapport uit 1995 zegt dat de aanwezigheid van schildklierkanker volgens het Ministerie van Volksgezondheid van Wit-Rusland tussen 2005 en 2010 haar hoogste niveau zal bereiken.)* Het Forum voor Tsjernobyl signaleerde daarentegen dat veel mensen meenden ziek te zijn zonder het echt te zijn.

59. De mensen raakten verward. Met het doel de conclusies van het Forum te verspreiden werd derhalve het Internationaal Onderzoeks- en Informatienetwerk aangaande Tsjernobyl (ICRIN) opgericht. Het IAEA had gezien dat een overdreven, soms slopend angstgevoel gepaard ging met onachtzaamheid ten aanzien van de voorzorgsmaatregelen zoals het vermijden van de consumptie van paddenstoelen, bessen en wild.

En toen werd het stil. Rottende, dodelijke aarde.

Het bericht dat de Conferentie voor Gewichten en Maten de afgevaardigden bijeenriep om de leiding van de Sectie Kilo te vernieuwen, bereikte het Véfour uiteindelijk juist op het moment dat Vasja zat te ontbijten en klaagde dat hij nog steeds niet naar Prypjat was gebracht, alsof hij daar meer had achtergelaten dan een onmogelijk leven. We hadden een overeenkomst, zegt hij.

Ik heb een stoel bijgeschoven en ben naast hem gaan zitten. Adela en Jana Ledneva zijn er ook.

Sinds we in het Véfour logeren heb ik hem meermalen gevraagd wat we nog meer voor hem kunnen doen, of hij het prettig zou vinden als een arts naar die vlekken op zijn armen zou kijken, of hoe we zijn familie zullen waarschuwen, en nu, nu hij weet dat ik vandaag in de centrale van Sèvres moet zijn, zegt hij eindelijk:

Waarschuw mijn broer Volodja. Hij woont in de Zaslavskaja-straat 67 in Minsk, Wit-Rusland.

Dat soort informatie geeft Vasja al.

Hij draagt een zwart poloshirt met hoge boord, en hij wil geen andere kleding dan die van hemzelf en niet meer liefdadigheid dan die die hij niet kan weigeren. Hij heeft een bord van een elektronisch schaakspel in zijn hand en noch hijzelf noch zijn tegenstander heeft een openingszet gedaan. En hij is ziek, zijn maag bezorgt hem al jarenlang problemen en zijn hartritme is onregelmatig. Hij kijkt naar zijn handen en begint te praten over de stad Polesskoje. Of ze gevaar liepen als ze bleven, hadden ze tegen mevrouw Boedai gezegd, hoe kwam ze erbij. Drogen de bomen soms uit? Zien jullie hoe de koeien grazen, zo rustig? Een bewoner had gevraagd waarom de bijen verdwenen waren. Dat heeft met het jaargetijde te maken, maak u geen zorgen. Nou, mijn kleine Katjoesja, zei meneer Kochanov, krijgt een bloedneus als ze een half uur moet staan, onherroepelijk. Ik heb een zuster, kwam een functionaris tussenbeide, die me conserven uit Ossetië heeft gestuurd. Is hun vlees beter of het onze? Ik denk er sowieso niet meer over om wild te eten, zei Maria Doedkina.

Waarom kan ik dat allemaal niet vergeten, zegt Vasja. Vannacht droomde ik dat God boos op me werd en ik vroeg hem niet zo tegen me te doen, zo erg was het toch niet.

Vasja gooide de plaid waarmee hij zijn benen bedekte op de grond, alsof hij voortaan alles zonder de hulp van Adela zou doen. Híj, ja híj werd wel ontzettend boos omdat we hem niet naar Prypjat brachten, hij wilde dat we tenminste zijn broer zouden waarschuwen.

Ik vertelde hem dat Jana zojuist naar beneden was gegaan, naar de receptie, om een telegram te versturen.

Met zijn blik zocht hij haar toen door de hele kamer en zag haar niet. En opnieuw was het de volgzame en aardige Vasja, een man die met alles akkoord ging.

Ik moet gaan, zei ik hem. Ik laat u over aan Adela tot we bericht uit Minsk krijgen. Zij blijft alle vierentwintig uur bij u. En ze zal de arts bellen zodat hij u hier ter plekke, in het Véfour, komt bezoeken.

Ik hurkte naast hem neer zodat hij mij goed van nabij kon zien en mijn gezicht hem vertrouwen in zou boezemen en hij het niet zou vergeten, want ik zou het zijne ook nooit mogen vergeten, Vasja, Vasili Nesterenko, men zegt dat u het leven bent. Ik ga weg, maar niet ver, zei ik hem in zijn oor. Het hoofdkantoor in Sèvres is hiervandaan een halfuur met de auto. En ik ga ook maar kort, niet langer dan tot het einde van die vervloekte conferentie die ik al zat ben, dat soort bezigheden maken ons niet beter of respectabeler in de ogen van wie dan ook, ze stellen niks voor. En mochten ze u tijdens mijn afwezigheid uit Minsk komen ophalen, dan waarschuwt Adela mij en ik laat alles achter en kom afscheid van u nemen. Ik zal u omhelzen en u zelf naar het vliegveld brengen. Dat is dan mijn bijdrage aan de zaak, klein weliswaar, maar ik zal kunnen zeggen dat ik u in mijn huis heb gehad, dat ik u mijn pyjama heb geleend en dat ik u een tijdje te eten heb gegeven. En op een dag zal ik u in Minsk komen opzoeken, we kennen nu het adres van uw broer Volodja. Ik zal u opzoeken en we zullen foto's van elkaar maken en we zullen lachen als we de anderen vertellen hoe ik u heb ontmoet en u mij, in een zelfbedieningsrestaurant aan de Champs-Élysées, en dat u, om uw hachje te redden, in het begin niet eens uw naam noemde en zich liet meenemen, en dat er niks gebeurde.

Nou goed, ik ga.

Vasja had mijn hand gegrepen. Breng me naar Prypjat, zei hij. Voor Ilsa.

Op die manier kon ik niet nadenken over hetgeen waarover ik moest nadenken.

Na zesendertig biedingen won een zekere Belarofonte op eBay de veiling van een hond die werd geboren met achterpoten zonder bot. Eenmaal via e-mail in contact met Jevgeni Brovkin vertelde de koper dat hij penningmeester was van het genootschap voor koorzang Filippa Tebaldi, uit Gorizia, Italië, en waarschuwde hij hem dat het dier levend moest overkomen, zo niet dan zou hij het onmiddellijk terugsturen. Dus terwijl Jevgeni Brovkin de papieren voor het luchttransport regelde, sloofden de bewoners van Prypjat zich uit om het hondje te verzorgen zodat hij niet zou doodgaan terwijl ze hem al aan iemand hadden toegezegd. Ze hielden hem constant warm met dekens bij een vuur dat ze ontstaken in de hal van hotel Polesje, en ze voedden hem met melk van przewalskipaarden. Want met het geld van de veiling wilde Vasja, behalve etenswaar kopen, ook een gipsen standbeeld laten maken ter herinnering aan Lavrenti Bachtiarov en zijn overledene, dat een plaats zou moeten krijgen op het halfronde plein voor het Eurotrom.

Dat was het enige wat de bewoners van Prypjat, die voor het overige werden belaagd door naamloze gelegenheidsziektes, een beetje leek op te kunnen beuren.

Soms huilden ze zonder aanleiding. Ze zeiden, waarom zouden we niet huilen als het leven ons zo vergaat. Zelfs de dappere Chvorost zocht afzondering.

Na de dood van Lavrenti Bachtiarov waren sommigen teruggegaan naar hun schuilplaatsen in de buitenwijken en het leek erop dat ze niet het minste voornemen hadden zich vertonen. Vasja Nesterenko wist dat het noodzakelijk was dat de mensen opgewekt waren en participeerden, als hij wilde dat een buurtbeweging het leven in Prypjat weer zou herstellen. Aan wat dan ook, hardlopen, lezingen met discussie na, het oppakken van gemeenschapstaken. Dansavonden. Ook al was het beste natuurlijk ervandoor te gaan. Ja, hoe korter je in Prypjat verbleef, hoe minder dodelijk.

De verkoop van de hond slaagde uiteindelijk via het betaalsysteem PayPal en een week later liep Jevgeni Brovkin de Kunstacademie van Minsk binnen met een stapel bankbiljetten en liet hij een van de docenten beeldhouwen de schetsen zien die Vasja Nesterenko en anderen in een notitieblokje hadden gemaakt.

In het voetstuk moest de volgende inscriptie komen: 'Lavrenti Bachtiarov, zanger, burgemeester van Prypjat in haar Tweede Periode en goed mens. En Jekatarina, zijn echtgenote. Beiden gestorven door ioniserende straling.'

Omdat niemand de data wist, zetten ze er liever niets méér bij.

Uitstekend, zei de docent beeldhouwen. Ik veronderstel dat het niet jullie bedoeling is alleen een voetstuk te bestellen. En het beeld, hoe zit dat?

Vasja wilde zich Lavrenti Bachtiarov herinneren zoals hij hem voor het laatst had gezien, met zijn armen om het hoopje aarde waaronder Jekatarina lag. Dus legde Jevgeni Brovkin, zoals hem was opgedragen, aan de docent beeldhouwen uit hoe hij het beeld moest uitvoeren. De overledene zou alleen en profil te zien zijn, wat de zaak een stuk gemakkelijker maakte, want er was geen voorbeeldfoto van hem.

Uiteraard moet hij wel te zien zijn met een partituur in zijn hand, waarop staat *Sterven naast mijn geliefde*.

De docent beeldhouwen keek hem vragend aan.

Het lied van Demis Roussos, ja.

Ik begrijp het.

Een maand later was het beeld van de Bachtiarovs af, maar tegen die tijd had zich een gebeurtenis voorgedaan die Vasja zozeer in verwarring bracht dat de zussen Zorina hem uiteindelijk aanraadden zijn taak niet zo serieus te nemen, hij zou ziek kunnen worden.

Het was een nieuwe dood, die van de vrouw van Savka.

Terwijl de docent beeldhouwen aan het werk was in zijn atelier van de Kunstacademie, was de tong van de vrouw van Savka steeds donkerder geworden tot hij zwart zag. Repen huid vielen van haar rug. Necrose, was de diagnose van Anna Zorina. Een kwestie van drie dagen, met hun verschrikkelijke nachten. Een week tevoren was ze verdwaald en zonder dat ze het doorhad was ze in het zuidelijke district van de stad terechtgekomen, hoeveel curie zou het daar niet zijn? Toen Savka zich had hersteld van de verbittering dat hij zijn oude Sjepelitsji had moeten inruilen voor het dodelijke Prypjat, eiste hij voor haar ook een gipsen standbeeld. Want we zijn allemaal kolonisten van het radioactieve leven, zei hij. Pioniers. We verdienen allemaal een standbeeld.

Vasja was bang dat de zaak hem uit de hand zou lopen, want noch Grijenko, de deurenlichter, noch Lavrenti Bachtiarov of de vrouw van Savka zou de laatste dode zijn. En wanneer er voor iedereen een standbeeld moest worden gemaakt, zou het levensonderhoud van de levenden in gevaar komen. Dus maakte hij moedig een einde aan de discussie door ze allemaal te verbieden. Ze droegen weinig bij tot een optimistische atmosfeer.

Laten wij niet het vuile werk van het atoom opknappen, zei hij.

Ze laadden het standbeeld van Lavrenti Bachtiarov en zijn overleden vrouw uit de bus van Brovkin en in plaats van het op een zichtbare plaats op te stellen, sloegen ze het op in het gymnasium, achter de tribunes. Weg geld.

Prypjat werd opnieuw de uitgestorven stad die het geweest was sinds de evacuatie in april 1986. De mist, de bevroren straten. De honden zonder eigenaar.

Vasja dook weer onder in de cabine van de botsautootjes. Vanaf die plek was midden op straat het wrak van zijn Volkswagen te zien. Daardoor voelde hij zich dichter bij Ilsa. En bij zijn kleinzoon Aleksej. Zijn kleindochter Darja.

Vasja Nesterenko miste zijn vroegere leven, hij veronderstelde dat degenen die het slecht met hem voor hadden, misschien dachten dat hij intussen al dood was. Of ongeneeslijk ziek. In dat laatste konden ze best wel eens gelijk hebben. En ook in dat andere. De mogelijkheid om op een dag Prypjat te verlaten en naar huis terug te keren.

Vasja keek naar zijn fiets.

Een van de honderd en een theorieën is die van de aardbeving. In *De verborgen factor* verschijnt de nucleair fysicus Konstantin Tsjetsjerov die in de camera kijkt, met die absurde baard van hem. Even ongetemd als die van Tolstoj. Hij draagt een enorme vierkante bril en praat met de stem van een contra-alt, hij lijkt een breekbare man in de verkeerde tijd. Een brede stropdas met mollen, een ontwijkende blik, dat is Tsjetsjerov. Wat hij doet is echter een regelrecht waagstuk.

Hij had de opdracht gekregen de straling te meten met een Amerikaanse infraroodscanner juist toen de specialisten opnieuw waarschuwden dat er een kettingreactie kon plaatsvinden. Hij vloog over de reactor en noteerde de temperaturen. Vooruit dus.

Gekleed in een beschermingspak dat meer weghad van een wit regenpak of een witte pyjama, kruipt Tsjetsjerov onder de restanten van reactor nummer vier door. Het is net een slang. Hij begeeft zich in het reactorbassin en samen met zijn helpers scant hij alles en maakt hij meerdere rondjes rond de centrale hal en door de lagergelegen ruimtes. Duizenden metingen verricht hij.

Veel later, terug in zijn kantoor, zegt hij dat binnen de sarcofaag alles verwoest had moeten zijn, maar dat dat niet het geval is. Er zat nog verf op sommige muren. De buizen waren afgebroken als door een horizontale stoot, wat hoort bij een schok van de ene naar de andere kant. De hitte van een explosie zou een andere aanblik hebben achtergelaten.

Een paar zalen waren daarentegen nog in perfecte staat, of slechts in geringe mate beschadigd.

Het is onbegrijpelijk.

Ook zegt hij dat er immense hoeveelheden cement en beton in de sarcofaag waren gestort. Wat blijkt, er is niets, het is leeg.

Konstantin Tsjetsjerov grijnst naar de journalist en veinst verbazing. Leeg, benadrukt hij.

Tsjetsjerov is een weinig expressieve man, maar in zijn gezicht beginnen zich vaag twijfels af te tekenen.

Dan is het de beurt aan de Oekraïense geofysicus Viktor Omeltsjenko, die de camera een kaart van de ondergrondse aardplaten laat zien. Hij zegt dat de centrale van Tsjernobyl op de samenloop van twee grote breuklijnen staat. In die jaren bestonden er geen bouwnormen die rekening hielden met geologische risico's. Die waren er eenvoudigweg niet. En hij zegt: geen enkele norm tegen aardbevingen. Viktor Omeltsjenko lijkt een vermoeide man.

Toen ze me de kaarten voor het eerst lieten zien, vertelt Vladimir Strachov, directeur van het Instituut voor Aardfysica van Moskou, kregen we in de gaten dat het probleem bestond uit het grote aantal atoomcentrales dat op een onstabiele ondergrond staat.

Strachov hoeft zijn ogen niet te openen om te praten, hij bewaart de uitdrukkingsloosheid van een functionaris en heft zijn vinger op zoals alleen een Rus dat kan.

Een atoomcentrale, voegt hij eraan toe, heeft volop water nodig voor de koelsystemen. Water loopt door rivieren. En rivieren volgen, over het algemeen, breuklijnen.

We moesten meteen aan de centrale van Ignalina in Litouwen denken. In die tijd de grootste ter wereld. De Litouwse seismoloog Povillas Suveisdis bevestigt voor de camera dat de geologen, geschrokken van wat er in Tsjernobyl was gebeurd, in 1989 de ondergrond van Ignalina hadden geïnspecteerd. De rapporten waren alarmerend. Povillas Suveisdis toont een geologische kaart van Ignalina waarop veel tektonische scheuren te zien zijn met een diepte variërend van tien tot meerdere honderden meters. Hij vertelt dat er in 1908 een aardbeving plaatshad waarvan het epicentrum op ongeveer dertig kilometer lag van de plek waar nu de centrale staat.

Ignalina werd gebouwd op het raakpunt van drie belangrijke tektonische structuren: de synclinale Baltische plooi in het westen, de anticlinale Wit-Russische plooi in het oosten en de anticlinale Letse plooi in het noorden. Het is niet de enige centrale die op zo'n plek is gebouwd. Op zijn minst acht installaties zijn op onstabiele ondergrond neergezet.

De Oekraïense seismoloog Feliks Aptekajev toont voor de camera een seismogram van het dichtst bij de centrale van Tsjernobyl gelegen meetstation. Hij zegt dat de meetinstrumenten na de 26ste april bewegingen hebben geregistreerd, hetgeen aantoont dat het een actieve seismische zone is. Dat is een bewezen feit, zegt hij. En hij kruist zijn armen.

Strachov weer. Hij verzekert dat de aardbeving tussen de twintig en drieëntwintig seconden voor de explosies had plaatsgehad. Het was een beweging van de aarde die in staat was het koelsysteem, dat uit zo'n zestienhonderd pijpleidingen bestaat, te vernielen. Volgens het veiligheidsprotocol is er sprake van een ongeluk als er twintig pijpleidingen ontploffen. Tussen de vijftig en honderd zouden de systemen ophouden met functioneren. In dat geval zou het ongeluk catastrofaal zijn. Hij laat een satellietfoto van het gebied zien die was gemaakt twee uur nadat alles had plaatsgevonden. Daarop is een rechte wolkenlijn te zien. Wolken hebben de neiging om over de lengte van actieve breuklijnen bij elkaar te komen, zegt Strachov, dat weet iedereen.

De autoriteiten geven toe dat een paar seconden voor het ongeluk een beving van vier op de schaal van Richter had plaatsgehad. Er is in Kiev zelfs een verslag opgesteld waarin een twintigtal getuigenissen staan opgetekend van operators die wachtdienst hadden en die spreken van schokken.

Onbetrouwbaar is de aarde die beweegt, zeggen we hier. En die dag bewoog de aarde.

In maart 2008 publiceerde Alison Katz een artikel in *Le Monde diplomatique* over 'De begraven rapporten over Tsjernobyl', waarin hij de woorden aanhaalt die Morris Rosen, hoofd van het Departement voor Atoomveiligheid van het IAEA, uitsprak op de conferentie van Wenen en die *Le Monde* van 28 augustus 1986 citeert: 'Ook al vindt er een ongeluk als dit elk jaar plaats, ik blijf atoomenergie aantrekkelijk vinden.'

Zo geredeneerd, en met als uitgangspunt dat het IEAE op de conferentie die de WTO in 2001 in Kiev sponsorde, eenendertig doden in Tsjernobyl erkende (later bevestigden ze er negenenvijftig), zouden er op de vijfentwintigste verjaardag van de ramp, om een ronde datum te noemen, 750 personen zijn overleden (of 1475, al naar gelang het aantal doden waar men van uitgaat).

In 2005 verhoogde het Tsjernobyl Forum het aantal tot 4000 per jaar. 4000 maal 25 jaar, oftewel 25 ongelukken is 100 000 doden (nu voluit geschreven: honderdduizend).

Het tijdschrift *The Lancet*: De Russische Academie van Wetenschappen voorziet een spectaculaire toename in het aantal gevallen van kanker, zo'n 270 000. *Estimations of the Chernobyl catastrophe, on the base of statistical data from Belarus and Ukraine.* Hoewel slachtoffers en doden niet hetzelfde is, sprak Kofi Annan van negen miljoen slachtoffers van Tsjernobyl. Baseren we ons op de theorie van het IAEA van één ramp per jaar, dan zijn dat in 2011 negen miljoen maal 25 jaar, is in totaal 225 000 000 slachtoffers (elk van de voorgaande woorden en cijfers, tweehonderdvijfentwintig in getal, vertegenwoordigen een miljoen slachtoffers van de een of andere soort. Zo telt ook Martin Amis in het begin van een van zijn boeken de slachtoffers van Stalin). Eén Tsjernobyl per jaar. Zelfs dan blijft atoomenergie aantrekkelijk, volgens Morris Rosen van het IAEA.

Weliswaar hebben zich volgens de gegevens van het Nationaal Laboratorium van Oak Ridge* in de VS van 1944 tot aan Tsjernobyl in de hele wereld tweehonderdvierentachtig 'grote stralingsongelukken' voorgedaan, zonder de Sovjet-Unie mee te rekenen waarvan geen gedocumenteerde gegevens zijn, ongelukken die slechts dertienhonderdachtenvijftig personen betroffen, dat wil zeggen 4,78 personen per 'groot ongeluk'. Daarvan raakten zeshonderdtwintig 'in belangrijke mate blootgesteld aan straling', ofwel 2,18 personen per ongeluk. Volgens het Nationaal Laboratorium van Oak Ridge stierven drieëndertig personen tussen 1944 en 1986 als gevolg van die ongelukken, waaruit kan worden afgeleid dat er voor één dode tien 'ernstige ongelukken' nodig zijn. Tot aan de ramp bij Tsjernobyl had er dus in de wereld elke twee maanden één ernstig nucleair ongeluk plaats, afgezien van die in de Sovjet-Unie. En elk jaar stierf er iets minder dan één persoon door straling. Om precies te zijn: 0,785714285714. Dat zegt mijn rekenmachine.

In conclusie 11 van de 'Aanbevelingen van het Europees Comité aangaande Stralingsrisico'* staat echter te lezen dat het Comité het totaal aantal door atoomenergie veroorzaakte doden sinds 1945 heeft berekend, waarbij een nieuw rekenmodel werd gehanteerd dat strijdig is met dat van de Internationale Commissie voor Stralingsbescherming. De berekening van deze Commissie, die gebaseerd is op de gegevens die zijn afgestaan door de VN over de dosis waaraan de bevolking tot 1989 was blootgesteld, gaf als resultaat 1 370 600 doden aan kanker. Het nieuwe model van het Europees Comité voor Stralingsrisico's voorziet daarentegen 61 600 000 doden aan kanker, 1 600 000 kinderdoden en 1 900 000 foetale doden.

Rosalie Bertell, voorzitter van het International Institute of Concern for Public Health in Toronto, doctor honoris causa van vijf universiteiten, uitgeefster van *International Perspectives in Public Health* en nog veel meer, beweert dat nucleaire energie vanaf het begin 375 miljoen gevallen van kanker, 235 miljoen genetische effecten en 587 miljoen embryonale misvormingen heeft veroorzaakt, wat neerkomt op bijna 1 200 000 000 slachtoffers van de een of andere soort. Dat staat te lezen in *The Ecologist* van november 1999.

Aangezien deze roman bijna 65 000 woorden telt, zouden er 19 588 romans geschreven moeten worden opdat elk woord een slachtoffer van atoomenergie zou vertegenwoordigen, overeenkomstig de cijfers van Rosalie Bertell.

Bij een gemiddelde van één roman elke vier jaar, zou er 78 354 en een half jaar nodig zijn om ze te schrijven.

Om de redactie van al die romans vandaag af te ronden zou de auteur in een van de eerste families van de homo sapiens in Oost-Afrika geboren moeten zijn.

In dat geval zouden de holen van de planeet volgekalkt moeten staan met pictogrammen, die van hem en die van zijn opvolgers, die iets aankondigden wat in een flits zou gebeuren wanneer 780 eeuwen later het laatste woord geschreven zou worden, een woord voor elk slachtoffer van de atoomenergie.

Aldus de stelling van het IAEA, bij monde van Morris Rosen, afgezet tegen de cijfers van dr. Bertell van het International Institute of Concern for Public Health in Toronto.

Zodra de bus van Jevgeni Brovkin de bocht van het Eurotromplein nam, zag Ilsa in de verte bij de ingang van een gebouw een donkere gedaante bewegen, hetgeen uiteindelijk een menselijke gestalte bleek te zijn, en ook al wilde ze dat het haar echtgenoot was, ze twijfelde want de persoon droeg een *papacha* met neergeslagen oorkleppen, en naarmate ze dichterbij kwam kon ze wel enkele details onderscheiden, maar nog niet het gezicht. Hij liep gebogen en bedenk dat het mistte en dat er op dat late uur erg weinig licht was, ze zag er een schaduw op, die op een baard leek. Maar hij moest het zijn, haar Vasja, de manier waarop hij liep en zich omdraaide bij het horen van de motor van de bus was de zijne, en Ilsa sprong op van haar stoel en begon hem te roepen, want wie anders kon het zijn, daar aan het einde van de wereld. Ze klopte tegen de ruit, eerst met de nagel van haar wijsvinger, daarna met haar volle hand. Vasja, riep ze naar hem, ik ben gekomen, ik ben er. En ze keek hoe ze het raampje moest openen om haar arm eruit te steken en zijn naam te roepen. Vasja, mijn lief, mijn duifje, wat zie je er raar uit met die grote overjas die van je schouders zakt. Maar Ilsa kon het raampje niet openen, het was enkel glas dat niet geopend kon worden, zij dacht er alleen maar aan haar man te omhelzen, maar wat ben je mager geworden.

Terwijl ze zich, staande, met haar gezicht tegen het raam gedrukt, vasthield aan de stoelleuning, zei ze binnensmonds of hij het nou was of niet, maar het moest Vasja zijn, kijk naar me, ik ben je komen opzoeken, om bij je te blijven, want ik ben wel ik, dat staat vast, ik ben Ilsa en ik ben hier. Ik ben in Prypjat.

Ze was in Prypjat omdat Jevgeni Brovkin uiteindelijk zijn mond voorbij had gepraat.

Geen geheimen meer, had ze hem gezegd de tweede keer dat ze hem in Minsk ontving met het bericht dat haar echtgenoot zich verborgen hield, maar dat hij haar voor hun beider welzijn niet kon vertellen waar. Ilsa dreigde: Of je vertelt het me of ik bel de politie, maar pas nadat ik je heb vermoord. Beiden wisten natuurlijk dat dat bij wijze van spreken was en dat er geen doden zouden vallen en nog minder dat ze de politie zou bellen.

Hij zei de naam Prypjat, Ilsa zei: Breng me daar meteen heen.

Zodoende was ze daar nu, in de bus die het plein voor het Eurotrom was opgereden waar het Polesje stond. En hoewel Ilsa twijfelde, zei ze dat moet Vasja zijn, en opnieuw begon ze hem te roepen, mijn Vasja, ik ben gekomen. Ze rende naar de deur van de bus en wachtte tot Jevgeni Brovkin afremde. En ze riep tegen hem, stop dan, stomme chauffeur.

Een momentje, zei Jevgeni om haar te kalmeren, ik rij naar hem toe, ik ben er al. Doe nou open, want ik kan niet langer wachten. Eindelijk stapte ze uit en rende op haar echtgenoot af, natuurlijk was hij het, alleen zo afgetakeld en met die ogen van blauw ijs. En ze omhelsde hem en ze deed zijn *papacha* af, ze zei zo zie je er knapper uit, Vasja, en ze begon waarom, waarom heb je het me niet gezegd, waarom Vasja, ik zou je van alles hebben gestuurd, hoewel, ik had je om te beginnen hier niet laten blijven, geen denken aan. Ze kuste hem en ze vroeg of hij het goed maakte en wat hij, de magerste man van de wereld, al die tijd gegeten had. Ilsa huilde en ze pakte de handen van haar echtgenoot, omhels me, zei ze hem, laat me niet los, laat me niet los voordat ik het zeg, zo mager en verzwakt en alsof je niet gelooft dat ik ben gekomen, alles is goed. Niemand vertelde me iets, niemand zei me iets, en ik, wat moest ik denken? Ik heb zelfs gedacht dat ze je gewoon hadden vermoord, dat die Jevgeni me iets voorloog toen hij me berichten van je bracht, Vasja, mijn lieve Vasja, ik heb zo veel gehuild, ik wist niet meer wat ik moest denken of waar ik je moest zoeken, maar nu ben ik gelukkig en kan ik je gezicht aanraken.

En de dingen die ik je te vertellen heb, over Aleksej, over het leven bij Jelena Demidova, laat me je omarmen en een beetje tegen je aan kruipen, wat is het fijn tegen je borst, wat fijn, en je leeft ook al lijk je niet meer dan vel over been, ik ga je oplappen. Ik heb trouwens een goed bericht en een slecht bericht, eerst geef ik je het slechte bericht, dat is dat Aleksandr Devojno, je vervanger in het laboratorium van Sosny, herinner je je Aleksandr, zo'n goede man, hij is gemolesteerd, de stakker, hij is er slecht aan toe. Met knuppels hebben ze hem aangevallen. En met andere vrienden van je hebben ze hetzelfde gedaan.

En je zult het goede bericht willen weten. Dat is dat jou de Vredesprijs van de stad Bremen is toegekend. Iedereen is erg trots, hoewel het voor mij het mooiste is bij jou te zijn, dat is voor mij genoeg.

Tijdens de maaltijd, die alle mensen van Prypjat in de sporthal Tsjemigov bijeenbracht om Ilsa te leren kennen, vertelde Annalese Prose dat ze zwanger was. Ze had eerst overgegeven en daarvóór was ze duizelig geworden, ze had op het punt gestaan in elkaar te zakken. Dank aan Chvorost, die haar opving. Anders zou ze onderuit gaan. Iedereen dacht dat ze een nieuw afscheid meemaakten. De spoorwegman van Janov mompelde zelfs: Weer een die ons verlaat, dat zijn er drie.

Anna Zorina ging naast Annalese zitten om haar te laten weten dat zij haar tot het einde zou bijstaan, haar pijn zou verlichten, troostrijke poëzie zou voordragen.

De Amerikaanse barstte echter in lachen uit en zei dat het gebeurde de normaalste zaak van de wereld was, het was haar bedoeling geweest het later pas te vertellen maar de zaken waren zo gelopen en gebruikmakend van die ongesteldheid die bij haar toestand hoorde, had ze het maar verteld, nu weten jullie het. Zwanger.

De disgenoten dachten dat het een grap was, ze lachten en speculeerden over hoe het kind zou zijn dat daar werd geboren, en ze lachten nog harder, het was een feest van de slappe lach, soms hielp het behoorlijk om op zo'n manier te lachen. Maar toen ze zagen dat Vincent, de man van Annalese, matroesjka's wilde gaan uitdelen, hielden ze een voor een hun mond. Totdat de stilte aan de tafel absoluut was. De meesten sloegen hun ogen neer. Hoe hadden ze dat kunnen doen.

Vincent spreidde zijn armen en vroeg waar de liedjes bleven die de komst van een nieuwe wereldburger bezongen. Basta met die drama's, samen met de komst van Ilsa is het nieuws dat wij vertellen reden tot blijdschap.

Bovendien, zei Annalese, heeft het laboratorium dat ons radioactieve leven betaalt, ervoor getekend dat ze ons honorarium zouden verdrievoudigen, wanneer dit zou gebeuren. Wat toch al aanzienlijk was, alles moet worden gezegd.

Ze willen een goed gedocumenteerd onderzoek. Zouden wij het niet doen, dan deden anderen het.

Nou, hou op, kijk ons niet zo aan.

En ten slotte, aangezien ik geen andere cadeaus heb om het mee te vieren dan deze matroesjka's, bied ik jullie aan om bij iedereen een tatoeage aan te brengen, zei hij terwijl hij zijn mouw oprolde en een veelkleurige draak op zijn arm onthulde. Jullie zullen zeggen dat het idioot is een tatoeage cadeau te doen maar het gaat me goed af, zo verdiende ik de kost, eerst in Toronto en later nog veel beter in Los Angeles.

Vasja vond dat ja zeggen betekende dat hij zich aansloot bij een ongepaste viering, maar dat nee zeggen niet aardig was. Dus keek hij naar de zussen Zorina en gaf ze een knipoogje zodat ze het erop zouden wagen, want Vincent was de Chevrolet gaan halen waarin de inkt zat en de naalden, en hij zou snel terug zijn en vragen wie de eerste was. Zij wilden niet. O ja, natuurlijk, met een tatoeage is alles veel makkelijker.

Met een tatoeage en met de brief die ik jullie ga voorlezen, soms komt alles tegelijk.

Want de hemel stuurt ons een kans.

Ze vroegen Vasja wat hij bedoelde, dus pakte hij een envelop uit de zak van zijn tweede overjas, vouwde het papier dat erin zat open, en zei dat de meest lastige of misschien de meest gelukkige dag was aangebroken. Ik lees: een stroomgenerator van het merk Honda, model EM-50, een nest biggetjes, een radiostation met middengolf, een Vox-megafoonsysteem voor de dansavonden van de zussen Zorina, vijftig sets persoonlijke verzorgings-artikelen, een halve ton aardappelen, een eerstehulptrommel, een drum met tweeduizend liter onbesmet water, bouwmateriaal en een jachtgeweer met telescoopvizier waarmee een wild zwijn gedood kan worden.

Vasja vertelde dat Jevgeni Brovkin hem diezelfde morgen de brief, die uit het buitenland kwam, had gegeven, hij was van een Franse ngo die had begrepen onder welke omstandigheden zij leefden en die hun deze donatie had aangeboden.

Dit of onmiddellijk uit Prypjat vertrekken. Want als ze dat wil-den, konden ze ook werk krijgen op een boerderij aan de rand van Parijs. Een basissalaris, acht uur werken per dag en de zondagen vrij. Ze konden hun onderdak bieden in Seine-Saint-Denis, nog afgezien van het levensonderhoud.

Een paar minuten lang schoot niemand iets te binnen wát te zeggen. Jevgeni Brovkin wist dat dat echt iets van hen was, af-wachten wat de anderen zeiden, ze onderwierpen zich aan een collectieve wil en de eerste die sprak was degene die de mening van allen vertolkte.

Ze keken elkaar schuins aan en zo gingen er vijf minuten voorbij. Totdat ze zich eindelijk begonnen uit te spreken. Nastja Jeltsova zag zichzelf niet in het buitenland.

De deserteur uit Tsjetsjenië verklaarde dat wat ze ook zeiden, als hij na een tijdlang in het Rode Bos gezeten te hebben nog steeds leefde, dan was er niet genoeg radioactiviteit in de hele wereld om korte metten met hem te maken. Ik blijf. Hetzelfde met de spoorwegman uit Janov, die geen redenen gaf, hij bleef en daarmee uit. En Savka, die zijn vrouw daar had begraven, naast de Bachtiarovs. En Lidia Savenko bleef ook, en haar dochter Mariika, die pas voor het eerst ongesteld was geworden en niemand, zei haar moeder, kon zich voorstellen hoezeer iemand daardoor wortelde.

Chvorost keek Vasja aan met een blik die om vergeving vroeg om wat hij ging zeggen, en dat was dat hij erover na moest denken. In korte tijd was hij daar iemand geworden, terwijl zijn omgeving hem altijd voor een plunderaar had gehouden, een bandiet kortom, oud vuil, niks. Dus van die kant bekeken bleef hij, net als de anderen. Maar van de andere kant leek het erop dat het leven in Prypjat heel kort zou zijn, hij was ook al begonnen met braken, werd duizelig, hij voelde zijn klieren en hij lag hele dagen op een van de matrassen van het Polesje omdat hij niet overeind kon komen, zo moe was hij. Ik weet niet wat ik moet doen, zei hij tegen Vasja. En jij?

Vasja Nesterenko keerde zich naar Ilsa en fluisterde haar in het oor dat hij het zat was dat ze allemaal dezelfde mening hadden en afzagen van verbeteringen. Ik? Wat ik ga doen? Ik ga natuurlijk. Ik vertrek omdat dit een mislukking is geworden.

En omdat we hier zitten dood te gaan.

Wat voor voorspoed kan Prypjat bereiken en wat voor soort overleving? En waarom willen we een lege stad voor ons alleen?

Als alles hier aan het rotten is.

Wat betekent dat, een nieuw leven beginnen? Hier valt niks aan te doen.

Ik weet zelfs niet wie jullie zijn. Of jullie levend zijn of niet. Voor hetzelfde geld ben ik het die dood is en beeld ik me jullie in.

Het doet me pijn jullie tussen verlaten gebouwen te zien. De kleur van dit naargeestige Prypjat, altijd grijs. Altijd en altijd grijs.

Bovendien, zei hij na een poosje.

Bovendien heb ik koorts.

En kijk naar mijn huid, ze valt van me af, allemaal schubben, en het brandt. En ik ben bang.

En dan is Ilsa er ook nog.

Dus ik ga weg, het is een kans, wie had dat gedacht van een buitenlandse ngo? Ilsa en ik, wij gaan. Zij gaat terug naar Minsk, ja, zo is het, zei hij terwijl hij zijn vrouw aankeek. En wanneer ik me in Parijs vestig en zie hoe het leven daar is, zal ik haar bellen om ook te komen. Ik leid het BELRAD van een afstand totdat alles voorbij is. Voor zover ik begrijp is Frankrijk een land van kansen waar de Mensenrechten heersen, de waarheid van de Wetenschap, de broederschap tussen de burgers van de Republiek. Ik heb het al eens klip en klaar tegen Nastja gezegd: zodra ik kan, ben ik weg naar het buitenland, ik heb er goed over nagedacht.

Dus we blijven zonder hoofd van het *gorkom* achter?

Ik benoem Anna Zorina nu meteen, zei Vasja.

Maar zij wees de functie af. Wat mij betreft, zei ze, kun je je koffers wel gaan pakken.

Dat soort woorden verwachtte Vasja niet. Wat voor koffers, zei hij, als ik hierheen ben gevlucht en mijn arme Volkswagen daar nog ergens staat, zwartgeblakerd? Organiseren jullie niet eens een afscheidsbal voor me?

Dat had je gedroomd, zei Anna Kalita, die ook bleef, hier ben ik geboren en hier zullen de honden me opeten. Vaarwel dus.

Vasja deed een paar stappen achteruit tot bij een meterkast. Hij zette de kraag van zijn overjas op, meer om zich te verbergen dan vanwege de kou of dat zijn vrouw hem niet zou zien, nu ze allemaal zo boos op hem waren. Ondankbare spoken. Maar hij begreep dat zijn vertrek weinig verdriet veroorzaakte en hij beperkte zich ertoe om Vincent, toen hij terugkwam met zijn Chevrolet, te vragen zijn woord te houden wat betreft de tatoeage. Zodat hij, bij gebrek aan elke blijk van genegenheid, in ieder geval een onuitwisbare herinnering mee kon nemen.

Een atoom, zei Vincent. Zal ik er een bij je tekenen?

Ik wil de naam van ieder van jullie als tattoo, zei hij terwijl hij ze een voor een aankeek.

Vincent telde om zich heen: dertien namen is te veel, dat kan niet.

Vasja zei dat hij Lavrenti Bachtiarov vergeten was. Ook al was hij dood, hij telde ook. En de overleden Jekatarina.

Veertien al helemaal niet. Vijftien. Als je wilt kan ik een woord tatoeëren waarmee je je ieder van ons kunt herinneren. Een verzonnen woord met onze initialen.

Samosjol, stelde iemand voor.

Oké. Eens kijken, de S... van Savka, de A van Anna Kalita, of van de jongste Zorina, al naargelang. De M, van wie is de M? O, ja, van Mariika. Hé, dat is een mooi woord, *Samosjol.* Wie heeft dat bedacht?

De O van Olga Zorina, de S van Lidia Savenko, de J van Jekatarina.

Nadia Jeltsova, die zag dat zij geen letter in het woord zou krijgen, liet Vincent niet verdergaan. Ze legde hem de betekenis van *Samosjol* uit. Ze vertelde hem dat ze allemaal *Samosjol* waren.

Vasja had liever de naam van iedereen getatoeëerd gehad, maar hij moest zich erbij neerleggen. Daarna vroeg hij Jevgeni Brovkin om in zijn antwoord, dat hij per e-mail aan de Franse ngo zou sturen, te vertellen dat er één kandidaat was voor de boerderij aan de rand van Parijs.

Niet een, twee.

Ze draaiden zich allemaal om om te kijken wie dat was.

Twee kandidaten, zei Olga Zorina. Ik heb erover nagedacht en hier heb ik geen leven, en als Vasja me mee wil nemen dan ga ik met hem mee. Heel ver weg.

Helemaal aan het einde van de middag belde Adela me vanuit het Véfour op het hoofdkantoor van Sèvres. Ze vertelde dat de dokter was gekomen en dat ze Vasja waren gaan opzoeken, maar dat ze hem niet konden vinden. Noch in zijn kamer, noch in de gemeenschappelijke ruimte, hij was er niet. En al helemaal niet in de omliggende parken. Dat hij was verdwenen. Dat ze er zeker van was dat hij was meegenomen en wat ze moest doen.

5

Intussen was ik met Montignoso en Peter Becker van het Duits Kalibratielaboratorium in discussie over de vraag of de Kilo, nu ze massa aan het verliezen is en niemand de oorzaak weet, het beste gedefinieerd kon worden met behulp van de Amerikaanse *Watt-balance*-methode of via de Duitse methode van het compleet sferische siliciumkristal. Ik liep terug naar het raam. Onweer, bliksemschichten, dat de lucht zo donker werd zag je niet vaak. Een bestelwagen kwam met ontstoken lichten door de tuinen gereden.

Toen Montignoso en Peter Becker even niet oplettten, keek ik naar Jana Ledneva. Ik keek naar haar met de bedoeling dat ze zou begrijpen dat ik moest gaan maar dat ik niet wist hoe. Zij beantwoordde me daarentegen door haar duim en haar pink naar elkaar te brengen, wat ons consigne was om elkaar te zeggen dat we zin hadden alleen te zijn.

Richard Davis, van de Sectie Massa, was aan een stuk aan het praten en een geluidstechnicus testte de microfoons voor de stemming. De obers liepen in en uit om de tafels naar Jöhri's smaak vol te zetten met Zwitserse broodjes, diverse soorten koffie, sappen en gekonfijte vruchten. De gedelegeerden begonnen binnen te druppelen en gingen op de voorste rijen zitten. Te midden van al die herrie wilde ik nog eens met Adela spreken en ik belde haar in het Véfour. Ik vroeg haar het me opnieuw te vertellen en alles langzaam uit te spreken.

Nou, dat Vasja weg is, herhaalde ze.

Het was te snel na het telegram, dat er iemand vanuit Wit-Rusland had kunnen arriveren om hem op te halen. Vliegtickets kopen kost tijd, vervolgens het vliegtuig nemen, de aansluitingen en de zoektocht naar het Véfour in een straat in Vincennes. Het zou puur geluk zijn geweest alles zonder wachttijden op elkaar aan te laten sluiten. En zelfs in dat geval zou het logisch zijn geweest als zij voor hun vertrek een bedankbriefje, iets hadden achtergelaten.

Of was hij misschien verdwaald. Een domme veronderstelling, en dat wisten we beiden maar al te goed.

Adela ging verder met me te vertellen dat ze, toen de dokter arriveerde en Vasja aan de andere kant van de deur niet reageerde, de gerant een reservesleutel hadden gevraagd, en dat zij bij het binnengaan een lege kamer hadden aangetroffen.

Ik hoorde enorme donderslagen en het geluid van glazen en bestek, ik hoorde Peter Becker praten die zei dat, als de aarde even rond was als het compleet sferische siliciumkristal, de Everest verhoudingsgewijs minder dan vier centimeter hoog zou zijn.

Ik weet niet hoe het de anderen verging, maar mij was het dat op dat moment om het even. Ik zag mijn kans schoon en zei:

Ik ben even weg.

Montignoso keek me onderzoekend aan, Jana ook. Ik verzocht hun zonder mij door te gaan. En als ik lang weg zou blijven, dat ze de vergadering dan de algemene richtlijnen van de Sectie Kilo moesten uitleggen, aangezien we die samen hadden opgesteld. Hoewel het me onderhand niets kon schelen wat ze gingen doen.

De directeur van de Sectie Massa sloeg zijn agenda dicht en precies op dat moment arriveerde Carolina Pompeo, het haar nat van de regen. Vanwaar die gezichten, vroeg ze toen ze zag hoe we elkaar aankeken. Ik liep zonder nog langer te wachten de gang in en gaf Salcedo opdracht me bij het prieel aan de uitgang met de auto op te pikken. Hij was een gewetensvol secretaris en nog geen minuut later was hij op de afgesproken plek. Ik stapte in de auto voordat Montignoso, die me achterna was gekomen, me in kon halen en zei Salcedo me rechtstreeks naar het Véfour te brengen.

In de regen reden we de ringweg rond Parijs af, het verkeer was traag en ik had de tijd om aan Vasja te denken en aan onze vergissing om zijn broer een telegram te sturen. Hoe had ik zo stom kunnen zijn, nu realiseerde ik me dat ik hem in gevaar had gebracht door degenen die hem mee wilden nemen, wellicht wilden doden, niet voor te zijn.

Mijn angst bleek niet ongegrond toen ik Adela in het kantoor van de gerant van het Véfour vond, waar ik haar hoorde zeggen: Vasja had het over een paar mannen die hem in een Toyota volgden.

Dat klopt, zei ik. Mensen van de Staatsveiligheidsdienst van daarginds. Ze moeten het telegram geopend hebben, de afzender hebben gezien. We hebben hem, moeten ze hebben gedacht.

Adela dronk uit een flesje mineraalwater dat een ober haar had gebracht, daarna nam ze een paar dadels. Ik kon haar niet troosten, want ik had geen argumenten.

De politieagenten pakten hun notitieblokje en balpen en tekenden onze verklaringen op. Ze letten erop geen detail over te slaan. Ze wilden de gegevens van Vasja, welke kleren hij droeg, hoe hij zijn haar kamde en of hij een moedervlek op een specifieke plek had. Dat een oude man zoekraakt is iets wat elke dag gebeurt, maar dat ze hem wellicht hebben meegenomen is heel wat anders, en dat heeft een naam.

En of we uit konden leggen wat dat was, die veiligheidsdienst van daarginds.

Toen ik Wit-Rusland noemde vroegen ze me vanaf het begin te vertellen wat ik wist. Maar Adela was me voor, ze schoof het bord dadels aan de kant en zei dat zij zou beginnen, als ze dat goedvonden. Ik begin bij het einde, vanwege dat van vanmiddag, zei ze tegen de gendarme die de patrouille aanvoerde, toen professor Nesterenko, Vasja zeggen wij, toen Vasja niet naar de eetzaal beneden wilde komen.

Ik zei tegen hem, ging Adela verder, dat de arts de opdracht had gekregen hem voor het einde van de dag te komen opzoeken, om hetzij met antibiotica hetzij met crèmes de pijn te verlichten en die grijsachtige vlekken op zijn huid te behandelen. Maar zelfs daarvoor had hij zich niet willen aankleden en naar beneden willen komen, ze hadden zijn eten dus naar zijn kamer moeten brengen, soms zondert hij zich af, wegens vermoeidheid of plotseling opkomende angst, zo heeft hij zich heel deze tijd gedragen.

Ik ben bij hem gebleven voor het geval hij iets wilde en na een poosje begon hij te praten. Zijn stem sleepte alsof hij erg moe was, een Vasja die pijn leed.

Hij vertelde me dat hij op een dag een e-mail van Ilsa in Minsk ontving, ze hadden nooit briefcontact. Daarin schreef ze hem dat de Nationale Academie van Wetenschappen van Wit-Rusland hem vroeg naar huis terug te keren om een atoomcentrale te leiden. Met nucleaire energie zou het land niet meer afhankelijk zijn van het Russische gas, in feite had de directie van Gazprom Oekraïne al in de wurggreep en later zouden zij aan de beurt zijn. En omdat Vasja gedurende tien jaar bijna vijfhonderd ingenieurs en atoomfysici had opgeleid, was hij de aangewezen persoon, de grootste Wit-Russische specialist. Als betaling zou hij een datsja met vijf slaapkamers bij een meer krijgen. En het belangrijkste, ze waren bereid alle beschuldigingen in te trekken. Hij zou weer de persoon zijn die hij was, een hoogstaand wetenschapper.

Maar hij had al gauw de redenen van dat aanbod doorzien: een einde maken aan het werk van BELRAD. Want hoe zou hij de leiding van een atoomcentrale kunnen verenigen met het aanklagen van de schadelijke effecten van de atoomenergie. Met die woorden zei hij me dat, vervolgde Adela.

Dus toen zij de volgende dag terugging naar het cybercafé vroeg hij Adela hun namens hem te antwoorden dat ze maar een ander moesten zoeken, het maakte hem niets uit als ze woedend zouden worden. En wat de beschuldigingen betreft, dat wisten de mensen, zijn vrienden al.

Wat hem betreft was het geen probleem BELRAD een tijdje vanuit een buitenwijk van Parijs te leiden.

Adela pakte nog een dadel en dronk wat water.

Ik keek intussen op mijn mobiel. Ik kreeg de boodschap dat

ik veertien berichten had gemist. Van Montignoso, van Jana Ledneva. En Salcedo kwam naar me toe en fluisterde me in het oor dat hij me, conform het bericht dat Motignoso hem voor mij had meegegeven, onmiddellijk mee terug moest nemen naar het hoofdkantoor van Sèvres, al moest-ie me meesleuren, de gedelegeerden werden ongeduldig. Wat moet ik zeggen? Zeg dat je me niet kunt vinden.

Want ik ben nu naar Adela aan het luisteren.

Die de gendarmes vertelde dat Vasja plotseling, met zijn gezicht naar het tafeltje vol papieren met tekeningen, ogenschijnlijk verbitterd op zijn bed ineen dook. Dat hij niet meer wilde praten, noch ademhalen, noch zijn hart laten kloppen, en dat hij telkens de naam van Ilsa herhaalde. Hij zei dat hij de hele ochtend had geprobeerd zich haar gezicht te herinneren om het te tekenen. En dat het hem niet was gelukt.

Ik heb ook een theorie, zei Nastja Jeltsova in de camera van Eva Cortés van de Universidad Complutense van Madrid, ongepubliceerde beelden van de documentaire *De blauwe vlam*. Ze knoopte haar schort voor en begon aardappels te schillen. Theorie nummer 111. Het gaat over de huizen. En hij luidt dat er niets is als het huis. Behalve de kinderen, natuurlijk. Maar kinderen gaan weg en het huis niet.

Een huis, dat is het. En meer nog wanneer je een tuin hebt die je je gehele leven hebt bewerkt. Hoe zal het met mijn kersenboom zijn. Ik geloof dat ik het raam van de eetkamer heb gesloten, maar ik ben er niet zeker van, en als de kou nou eens binnendringt of een dief, of een van die honden die nu overal rondlopen.

Een huis moet je onderhouden zodat het niet instort. Als je erin woont blijft het wel overeind, ook al breng je geen reparaties aan. Maar o wee, als je weggaat. Zodra je weggaat, worden de materialen week en in een tijd van niks zakt het in elkaar. Het sterft, zei Nastja terwijl ze een nieuwe aardappel pakte.

Een oude vrouw en haar huis zijn als twee zussen. De een is afhankelijk van de ander, zo denk ik erover, en op mijn leeftijd krijgt niemand mij er meer van af.

Ik ben negenentachtig jaar en dit is mijn huis.

Mijn overleden schoonzoon Pjotr vertelde me dat hij huizen ook als levende wezens zag. En zoals ik hem ken, als hij zei dat hij dat zag dan zag hij dat echt. Pjotr Polisjoek had een groot hart, daarom heb ik uien rond zijn graf geplant. Hij begrijpt mijn boodschappen.

Net zoals mijn huis, daar ben ik zeker van. Voordat ik in Prypjat ging wonen, heb ik urenlang mijn huis omhelsd. Ik omhelsde de deuren en ik zei, ik vertrek, deuren. Vaarwel, mijn ramen. Vaarwel, plavuizen van mijn vloer die mijn stappen hebt verdragen. En mijn geliefde bed, ik zal je missen. Vergeef me, muren van de keuken.

Nastja Jeltsova schilde nog een aardappel.

Daarna ging ik naar buiten, de tuin in, en ik gaf elk gewas, elke boom een kus. Ik streelde de bladeren van mijn kersenboom. Ik moet gaan, zei ik tegen de kersenboom, denk je dat je het redt. Het leven hier is erg ingewikkeld geworden.

Ik noemde hem telkens opnieuw kersenboom, alsof dat zijn eigennaam was. Vaarwel, Kersenboom. Ik sloeg mijn armen om zijn stam en ik begon te huilen.

Als ik mijn huis zou vergeten en mijn kersenboom, dan zou ik vergeten wie ik was.

Een verpleegster heeft me geleerd dat je, om dat te voorkomen, verband moet leggen tussen een voorwerp en iets belangrijks dat je ermee hebt gedaan. Met dit bestek heb ik mijn laatste kip op-gegeten. Dat plastic figuurtje van een gearmd bruidspaar hebben de Bolotsjajs me gegeven toen hun dochter trouwde. Het was een attentie.

O ja, elk voorwerp in dit huis heeft zijn eigen geschiedenis. En ik leg verbanden.

Mijn kersenboom. Mijn kleintje, Vera, hing poppetjes van papier in zijn takken. Ik weet zeker dat hij mijn verdriet voelde toen ik mijn armen om zijn stam sloeg om afscheid te nemen.

En ten slotte wilde ik het ook hebben over mijn dochter Vera en over mijn kleinzoon. Anders zou het lijken of ik niet van hen houd. Of ik alleen van mijn huis en van mijn kersenboom houd, en dat is niet waar.

Nastja was klaar met het schillen van nog een aardappel en liet hem in het pannetje vallen. Toen bleef ze met het mes in haar handen staan, alsof ze moe was geworden van het aardappelschillen, en slaakte een zucht.

Wel, mijn kleinzoon stierf uiteindelijk. Had ik je dat niet verteld? Ja dus, dood. Over hem praat ik daarom liever niet. En mijn arme dochter woont hier bij mij.

Ze zit urenlang onder de notenboom waar meneer Terentijevitsj altijd zat. Ja, Terentijevitsj, die van de opgezette benen. Toen het op een dag heel hard regende bracht ik hem een paraplu en vertelde hij me zijn naam en waarom hij kwam, dat was omdat hij niemand had. En sindsdien heb ik hem niet meer gezien.

Nou ja, 't zit zo dat ik met mijn dochter naar huis ben teruggekeerd. Ik wilde niet in Prypjat blijven met al die mensen. Zij vertelde me op een dag: Mama, Marat is dood. Ik wil met jou terug naar dat huis. En hier zitten we dan, met z'n tweeën, weer op het land. Zoals in die goede, oude tijd. Daarnet zei ik u dat de huizen blijven en dat de kinderen weggaan. Nou, Vera is een uitzondering.

Weet je wat je nu met die aardappels moet doen, zei ze, terwijl ze er een uit de pan nam. Je moet ze acht uur in water met zout zetten. Gooi het water weg. En herhaal de handeling. Zo drie of vier baden. De volgende dag hebben ze dan minder cesium, volgens mij trekt het strontium-90 er ook een beetje uit.

Nadia stond op en liep naar de deur. Ze veegde haar gezicht met haar schort af.

Meer kun je niet vragen, een huis en een dochter die terugkomt.

Ook al komt ze terug omdat ze weduwe is geworden en zonder haar zoontje.

Ze mag vervloekt zijn, ik ben blij. Ik zeg het haar niet, maar ik ben blij. Nu heb ik alles.

Met een aardappel in de hand wees ze naar een hoek van de tuin. Ze mikte en gooide hem naar een tweede hart van geplante uien. Maar haar worp week een beetje af naar links. Daar ergens ligt mijn kleinzoon Marat, zei Nastja Jeltsova, begraven op twee meter van zijn vader.

Een vertegenwoordiger van de Franse ngo belde Jevgeni Brovkin om hem te vertellen dat hij de drie vluchtelingen van Prypjat niet persoonlijk kon komen ophalen.

Het excuus dat hij aanvoerde was dat de papierwinkel sterker was, want het Ministerie voor Noodsituaties van Oekraïne had de vergunningen om de uitsluitingszone te betreden niet van een stempel voorzien. Dus moesten Olga Zorina en Vasja op eigen gelegenheid naar het vliegveld van Minsk-2 reizen waar, dat wel, voor elk van hen een ticket klaarlag voor de rechtstreekse vlucht naar het Charles-de-Gaulle.

Niemand in Prypjat hielp hen hun bagage in de kofferruimte te zetten van het busje van Jevgeni Brovkin, die ze hadden gevraagd hen weg te brengen nadat ze een evacuatiepas hadden losgekregen. Het waren amper een paar zakken met kleding, voor meer zouden ze de kracht niet hebben gehad.

Hoewel Ilsa zei dat het hem niet flatteerde, had Vasja de *papacha* met oorkleppen van de overleden Bachtiarov opgezet. Daarna stroopte hij zijn mouw op en liet degenen die achterbleven de tatoeage zien die Vincent hem als afscheidscadeau had gezet. Kijk, zei hij, terwijl hij met zijn vinger elk van de letters van het woord *Samosjol* aanwees. Alsof jullie met me meegaan.

Vasja stak zijn hand uit en zei dat ze nog op tijd waren. En hij hield hem zo totdat hij er genoeg van kreeg. Anna Zorina kwam hem uitschelden omdat hij haar zus meenam, maar ze bleef alleen maar naar de banden van het busje kijken of ze wel voldoende opgepompt waren, zodoende hoefde ze niemand aan te kijken.

De spoorwegman van Janov wilde het Polesje niet verlaten.

Het regende in Prypjat en hij zag niet in waarom hij afscheid zou moeten nemen van de man die zich tot dan toe had voorgedaan als de vertegenwoordiger van het enthousiasme en het nu opgaf. Lidia Savenko en haar dochter Mariika hadden als herinnering van houtjes een sieraad gemaakt, maar het was niet zo goed gelukt en ze besloten het maar te houden. De deserteur van Tsjetsjenië, Savka, al de anderen waren er. En jij, Chvorost, wat heb je besloten?

Ik blijf uiteindelijk. En hij trok zijn schouders op.

Jevgeni Brovkin gaf een paar keer gas, zodat ze wisten dat het moment van vertrek was aangebroken, maar Vasja wilde vanaf het trapje van de bus eerst nog een paar woorden tot de inwoners van Prypjat richten.

Gaat er nog iemand mee?

Vasja Nesterenko spreidde zijn armen uit, waarmee hij uitdrukte dat hij de ontstane situatie accepteerde.

Eerlijk gezegd weet ik niet waar ik moet beginnen. Ik dacht dat de toespraak ten slotte wel vanzelf zou komen en dat het allemaal makkelijk zou zijn, en ik zou zelfs kunnen overwegen te blijven.

Maar met jullie kan een mens geen plannen maken. Jullie zijn een vreemde groep, Lavrenti zei het me al. Hij zei: Ik vertrouw ze niet. Zijn letterlijke woorden. Vanaf die keer dat jullie geen zin hadden om voor hem te applaudisseren.

Gisteren ben ik afscheid van hem gaan nemen. Lavrenti, aan alles komt een einde en ik vertrek. Ik laat je hier met je Jekatarina. Onder de grond, waar niets je meer kan raken. De radioactiviteit niet, noch de melancholie van de levenden. Hij is de enige die het goedvindt dat ik wegga, want hij beklaagde zich niet.

Vasja Nesterenko begon te lachen om de anderen ook aan het lachen te maken. Maar aangezien dat niet gebeurde, ging hij verder. Ik zou iets tegen jullie willen zeggen.

Hij keek ze aan, een voor een.

Hun gezichten waren verstijfd van de kou, sommigen bedekten het met een das.

Vasja draaide zich naar zijn vrouw die samen met Olga Zorina op een bank voor in de bus was gaan zitten.

Ik heb geen woorden meer. Ik kan jullie beter vaarwel zeggen, en dat is het. O ja, en als er iemand van motoren houdt, er staat een Oeral 750 cc in een appartement in de Helden van Stalingradstraat. Hij is van jullie.

Datzelfde geldt voor mijn fiets.

Vasja Nesterenko wilde geen Parijs van buitenwijken en jammerklachten en in plaats van zich op te sluiten in zijn appartement van Seine-Saint-Denis, legde hij zichzelf ontspanning op en veel plezier omdat hij nog in leven was. Anderzijds zou Ilsa haar komst naar Parijs niet lang uitstellen, en hij wilde haar de stad laten zien wanneer ze arriveerde.

Hij bezocht de monumenten van de stad. De Eiffeltoren. De felgekleurde zelfbedieningsrestaurants, waar hij alleen maar even naar binnen keek. Op een na aan de Champs-Élysées, waar hij wel binnenging. Hij probeerde er zelfs een menu met een frisdrankje. Een matige ervaring slechts, vertelde hij later vanuit het cybercafé aan Ilsa. En wel omdat er overal ellende is: ik hoorde op Radio France dat sommige bejaarden in restaurants van die keten worden achtergelaten. De SAMU Social vangt ze op, maar er informeert nooit iemand naar ze. Alsof ze zijn opgehouden te bestaan, een beetje zoals een *Samosjol*, ze noemen ze de onzichtbaren.

Ilsa antwoordde hem vanuit Minsk dat hij niet moest denken aan onzichtbaren maar aan hoe tevreden de dosisopnemers van BELRAD waren dat ze weer een baas hadden, ook al zat hij in het buitenland en woonde hij als een kapitalist. En dat ze niet wisten of ze BELRAD nu het Vernieuwde BELRAD moesten noemen of Tweede BELRAD, of het moesten laten zoals het was.

Vasja Nesterenko bestudeerde de rapporten die zijn broer Volodja hem zond en zette zijn handtekening eronder. Op een kaart gaf hij de dorpen aan waar de busjes met de spectrometers naartoe moesten, en vroeg de gegevens vervolgens aan hem door te geven. Hij verzond tientallen e-mails naar de wetenschappelijke genootschappen in heel Europa en Amerika, Rusland, Japan. En juist daar kwam Olga Zorina van pas, die hem meer te doen vroeg, omdat zij in Minsk rechten had gestudeerd.

Toen Vasja niet kon, omdat hij de nacht koortsig had doorgebracht, ging Olga naar beneden naar het cybercafé om de mails te versturen. Maar hij werd snel weer beter, hij had zo weinig zin om dood te gaan dat hij op een middag zei dat hij naar Bremen ging om zijn prijs op te halen, hij wilde de man zijn die hij jaren geleden was geweest, berusting doodt de mens. Olga Zorina raadde het hem af en gaf hem wel tien argumenten om niet op reis te gaan, maar ze begreep dat het soms erg helpt iets te doen wat je niet zou moeten doen. Ze knipte zijn haar, huurde een rokkostuum en deed hem een mobiel cadeau voor het geval hij iets nodig had. Pas goed op, pas heel goed op.

In Bremen ontving Vasja omhelzingen en ook het honorarium bij de prijs, dat hij in z'n geheel naar BELRAD overmaakte behalve de kosten van een vliegticket van de luchthaven Minsk-2 naar Parijs voor Ilsa.

Dit zijn fragmenten uit de toespraak van Herbert Brückner van de *Threshold Foundation*:

'Uw werk, professor Nesterenko, waarvoor u vandaag wordt onderscheiden met de Vredesprijs van Bremen, begon meteen na het ongeluk met de reactor. Uw voorstel om alle kinderen uit de zuidelijke regio's te bezoeken om preventieve maatregelen op basis van jodium te treffen, werd onmiddellijk door de politici afgewezen. (...)

Via BELRAD heeft u een georganiseerd netwerk van meetapparatuur opgezet om de radioactiviteit in de levensmiddelen te meten. U had 370 dosismeters, waarvan er vandaag de dag nog maar een paar over zijn. (...)

De open brief aan Gorbatsjov die u in 1989 tezamen met 92 academieleden schreef tegen het verhullen van de gevolgen van het ongeluk van Tsjernobyl voor de gezondheid van mensen, bleek even polemisch als uw werk als adviseur in het veld. De meetapparatuur waarmee u werkte werd u ontnomen. Volgens de staat werden de gevolgen van Tsjernobyl overdreven, de evacuatie van de bevolking was volgens hen ook een fout. De autoriteiten namen zich voor uw werk te boycotten. Twee mysterieuze auto-ongelukken na publieke optredens doen zelfs vermoeden dat er werd gepoogd een einde aan uw leven te maken. Ondanks de kritieken, de vermoeidheid en bedreigingen zette u uw werk met veel succes voort. (…) u was en bent een moedig mens, professor Nesterenko.'

Vasja was beduusd. Zodra de toespraken voorbij waren bedankte hij voor de cocktail en het diner, hij wilde dat ze hem snel terugbrachten naar zijn buitenwijk van Parijs, waar hij zich beschermd voelde, daar had hij de *papacha* van Lavrenti Bachtiarov. Zodra hij die aantrok, had hij, stevig toegedekt in zijn bed, een periode zonder zorgen. En als hij vanwege de vluchtschema's een poosje op het vliegveld moest wachten, dat iemand hem dan per auto wegbracht. Het kon hem niks schelen de nacht op de autoweg door te brengen, hij zou bovendien ook zelf kunnen rijden, nu herinnerde hij het zich, sinds hij in zijn Volkswagen naar Prypjat was gevlucht had hij geen stuur meer in zijn handen gehad en dat miste hij, autorijden had hem altijd opgemonterd. Al die felicitaties, handdrukken, een paar foto's voor een lokale verslaggever. Voor het eerst leek hem de kamer, van waaruit hij de distributeurs van veevoer hun werk zag doen, een prettige plek, evenals het appartement dat de ngo hem ter beschikking had gesteld. Want hij was een zieke man van vierenzeventig jaar die bijna niet meer at, en ook al peinsde hij er niet over zich te beklagen over de zinloosheid van zijn leven, alles vermoeide hem.

Uitgeput van vermoeidheid kwam hij thuis en al vroeg in de morgen, juist toen een droom over slangen hem naar het centrum van zichzelf voerde, ging zijn mobiel. Een mens hoort bij geen enkele plek tot hij zijn ogen opendoet en ziet, daarom wilde hij het licht niet aandoen, hij was liever een ander geweest. Bovendien moest Olga Zorina in haar kamer liggen te slapen, dus liep hij op de tast langs de muren door de gang. Weinig meubels, weinig botsingen.

Hij nam de mobiel en zei hallo. Er kwam geen antwoord, er was alleen gekraak op de lijn te horen, en hij herhaalde een paar keer zijn naam, ik ben Vasja, Vasili Nesterenko, hallo. Er waren maar heel weinig mensen die zijn nummer konden kennen. Eindelijk hoorde hij de stem van zijn broer Volodja, wat is er, ik lag in bed.

Smeer 'm meteen, verdwijn.

Ik heb zojuist een waarschuwing van iemand ontvangen. Geen namen, zei hij. Alleen dat hij met jou heeft samengewerkt in het Pamir-project.

Vasja zei niets. Omdat zijn zwijgen vragen aankondigde, was Volodja hem voor en zei:

Hij zegt dat ze woedend zijn. Dat je de centrale niet wilt leiden, dat kunnen ze niet uitstaan. Maar vooral dat BELRAD weer rapporten begint rond te sturen, alsof het herrezen is. Dan ook nog dat van Bremen, dat was schijnbaar de laatste druppel.

Ze weten dat je in Parijs bent, voor hetzelfde geld kennen ze op dit moment zelfs je adres al.

Luister naar me en blijf daar geen minuut langer.

Vasja ging op de leuning van een bank naast hem zitten, en ontdekte dat zijn pyjama hem te wijd werd.

Luister goed naar me, ging Volodja verder. Er is meer. Maar ga nu weg, ik bel je later opnieuw.

Vasja kleedde zich aan zonder op de details te letten, hij trok lukraak kleren aan, wat er maar was. Olga Zorina verscheen in de gang en vroeg waar hij naartoe ging en ze wist meteen wanneer een antwoord geen vragen behoeft. Aangestoken door de acute behoefte wat dan ook te doen dat haar zou helpen te geloven dat ze niet zo'n onbeduidende vrouw was als waar ze zichzelf tot dan toe voor had gehouden, snelde ze naar de keuken om iets klaar te maken dat Vasja mee zou kunnen nemen. In een nachthemd, een ochtendjas eroverheen geslagen. Ze benijdde hem om de gelegenheden die híj had om zijn vastberadenheid te laten zien, want die waren haar volstrekt ontzegd. Ze pakte een sandwich in een papieren zak, deed wat worst in een servetje en stopte dat erbij, en ook een reep chocola.

Vasja realiseerde zich dat zijn Franse leven bijna al voorbij was voordat het was begonnen. Hij gaf Olga een omhelzing waarin hij heel zijn dankbaarheid voor haar gezelschap gedurende zijn tijd in Parijs legde, en controleerde of hij zijn mobiel bij zich had omdat hij een nieuwe oproep van Volodja verwachtte.

Hij liep de trap af naar de hal en stak zijn hoofd naar buiten, keek naar beide kanten en keek opnieuw, hij vertrouwde het niet. Om zich te verbergen koos hij een rietveld dat op de helling lag. Met de dreigende dood in gedachten zocht hij een manier om nergens te zijn, dat was beter dan ervandoor te gaan naar een andere stad, want de mannen waar Volodja het over had, stonden hem misschien al bij de trein- en busstations op te wachten. Het was Chvorost geweest die hem had geleerd dat je, wanneer je gezocht wordt, een goede schuilplaats moet zoeken en stil moet blijven zitten, iedere beweging laat sporen na. Zo maak je jezelf onzichtbaar.

Onzichtbaar, dat is het.

Hij liep achter een paar geparkeerde vrachtwagens langs, nam de metro en stapte, na een paar keer te zijn overgestapt, bij station George-v uit, vlak bij het zelfbedieningsrestaurant dat hij kende. Voordat hij de straat op ging belde hij Olga Zorina met zijn mobiel om haar te zeggen hem zijn kleren te brengen. En hij sprak haar over Le SAMU Social, waar ze aan hun lot overgelaten mensen opnamen. Ja, laten we zeggen vijftien dagen, zei Vasja.

Een week tenminste. Een week is genoeg. Ze zullen zich over mij ontfermen, ik heb al bedacht hoe.

Olga Zorina huilde.

Hou op, zei Vasja die geen tranen wilde, daar was nog tijd genoeg voor. Ik wacht op je bij de uitgang van de metro, ik zie je wel komen. Breng me al mijn kleren. En ook de pot tranquillizers, zorg dat niemand het merkt.

Vasja maakte het pakje open dat Olga Zorina voor hem had klaargemaakt. Hij legde de sandwich open en proefde een plakje mortadella. Toen liet hij alles, inclusief de reep chocola, achter op een bank op het perron voor het geval iemand er zin in had het op te maken. Hij kon het niet. Het kostte hem al genoeg moeite zichzelf overeind te houden en adem te halen. Hij pakte de portefeuille uit zijn jaszak, verscheurde de documenten waar zijn naam op stond en gooide de snippers in verschillende papierbakken zodat niemand ze aan elkaar zou kunnen leggen. Nu was hij niemand meer, nergens, hij had geen achternaam en niemand kon achter zijn herkomst, de naam van een land of een provincie of een stad komen, en ook waren er geen nummers die hem konden identificeren. Vasili Nesterenko was niets, spoedig zou hij een onzichtbare zijn ten laste van Le SAMU Social van Frankrijk. Hij bewaarde alleen de mobiel, in afwachting van het tweede telefoontje van zijn broer Volodja.

Non-gouvernementele organisaties zijn er genoeg in Parijs: Forum Timor, France Libertés, dat is de stichting van de weduwe van François Mitterrand, Pax Christi, Aide Médicale Internationale, de Fondation Charles Léopold Mayer, en andere, meer dan honderd. Maar er zijn er niet zo veel die onder hun activiteiten om geld in te zamelen een pluimveebedrijf vermelden. Nadat we de ngo's geëlimineerd hadden die ons niet interesseerden, gingen Adela en ik op zoek naar Vasja in het gedeelte achter de begraafplaats Pantin-Bobigny, waar de ngo huisde die Vasja uit Prypjat had gehaald. Misschien was de politie al met haar onderzoek begonnen, maar wij zagen ons niet rustig op nieuws wachten. We staken een spoorlijn over, sprongen over een paar brokken bouwpuin. Ik drukte op een bel.

Volgens Nesterenko, zei ik hardop zodat ik aan de andere kant van de deur te verstaan was, werkt op deze boerderij een van de zussen Zorina.

Toen verscheen er in de deuropening een vrouw van een schoonheid die zich niet meteen, maar pas later openbaarde. Ze leek mij een wonder uit Prypjat.

Ik zei tegen haar: U moet Olga of Anna zijn, een van beide.

Olga, zei ze. Ze maakte de ketting van de deur los want ze wilde dat we meteen binnenkwamen, zo te zien wilde ze niet dat iemand ons zag praten.

Waar is Vasja, vroeg ze.

Dat weten we niet, zei ik. Daarom zijn we hier. Voor het geval dat u hem heeft meegenomen, of hij zich hier misschien heeft verborgen.

Olga Zorina moest denken dat wij lieden met kwade bedoelingen waren, wellicht vertegenwoordigers van Wit-Rusland, en deed een paar stappen naar achteren. Maar het was te laat om te zeggen dat ze die Nesterenko volstrekt niet kende, nadat ze hem Vasja had genoemd.

Adela ontnam me toen het woord, net zoals toen we met de gendarmes in het Véfour moesten praten. Volgens haar had het geen zin eromheen praten en was het beter dat het een vrouw was die een andere vrouw vertelde wat er aan de hand was. En daar deed ze goed aan, want zo gauw Olga het verhaal van Vasja's dagen bij ons hoorde en een paar concrete bewijzen accepteerde dat wij haar niet bedrogen, betreurde ze het zelfs dat ze ons niet een kop koffie kon aanbieden.

Zij wist ook niet waar Vasja was, bezwoer ze verschillende keren. Maar bedankt dat u voor hem heeft gezorgd, zei ze, en voor alle onkosten en dat u hem in een hotel heeft ondergebracht.

Olga Zorina haalde met een sierspeld haar haren uit haar gezicht. Het wonder bestond erin dat ze een echte vrouw was, van wie je de hand kon vasthouden en naar wie je kon luisteren wat ze zei. Ze nam ons mee naar een vertrek dat dienstdeed als opslag en daar vertelde ze ons zo veel ze kon. Eerst wat we al wisten en daarna de rest, zoals dat Vasja haar op het metrostation George-v vroeg met hem mee te gaan naar een zelfbedieningsrestaurant omdat hij de tassen met kleren niet alleen kon dragen.

Ik zei hem dat hij Parijs meteen moest verlaten. Hij, dat hij het goed maakte, naar omstandigheden maak ik het goed. Maar voor het moment blijf ik hier, ondergronds zogezegd.

Le SAMU Social, zei hij, dat is meer dan ondergronds.

We gingen naar het zelfbedieningsrestaurant, liepen naar de tweede verdieping, vandaar hadden we uitzicht over de Champs-Élysées. We aten wat. De kraag van zijn overhemd stond omhoog en ik sloeg hem terug, hij moest er vooral netjes uitzien. Zonder iets te zeggen gaf hij me de halve pot tranquillizers terug, de andere helft had hij ingenomen zonder dat ik het had gemerkt, en al gauw zag ik dat hij in slaap begon te vallen en nauwelijks nog kon kauwen. Ga maar, zei hij. Ik gaf hem twee kussen, toen nog een op zijn voorhoofd, en daar liet ik hem achter, aan een tafeltje bij het raam. Het was zijn opzet dat alles zo gebeurde en hij kon niks anders bedenken dan tegen mij te zeggen ga maar, Olga, ga nou maar of je verknoeit het allemaal, je hebt al meer dan genoeg gedaan.

Laat in de avond, toen ze gingen sluiten, zag ik van de andere kant van de boulevard een ambulance aankomen. Een paar ziekenverzorgers droegen hem in de armen uit het restaurant, want met zo veel kalmerende pillen kon hij niet meer zelfstandig lopen.

Olga Zorina wist niet waar ze kijken moest en sloot haar ogen een moment en liep de kralen van haar armband na. Ze had een sleutel in haar hand waarmee ze tegen haar lippen begon te tikken.

Later wilde ze doorgaan, maar ze kon niet.

Later.

Toen ik na twee weken naar de Boulevard Courteline ging, zei Olga Zorina eindelijk, naar het kantoor van Le SAMU Social, vertelden de arts mevrouw Tartier en de inspectrice, ene Solange Gaillard, me dat iemand Vasja had meegenomen.

Aanvankelijk schrok ik, maar meteen daarna zag ik dat ik er blij om moest zijn, want in Spanje had hij meer mogelijkheden, duizend kilometer ver. Hoe hij dat voor elkaar had gekregen, of dat het puur toeval was, dat had ik wel willen weten.

Olga Zorina begon in haar tas te wroeten. Ze vond zakdoekjes, een stukje hout, van de deur van het Voschod in Prypjat. Eindelijk vond ze wat ze zocht, een pakje snoepjes *Bêtise de Cambrai*, gevuld met brandy. Ze bood ons er een aan. Ze haalde het papiertje van het hare af en bracht het naar haar mond. Ze zei dat het op de gezondheid van Vasja was.

Gilles Irondelle was voorzitter van l'Espoir des Hommes, de ngo die Vasja in Parijs onderdak verleende.

Ik ging hem bezoeken. Omdat hij verlaat was, nam zijn secretaresse me mee naar een wachtkamer waar foto's van de belangrijkste momenten van de organisatie aan de muren hingen. Een vrouw in doktersjas omgeven door zwarte kinderen.

Irondelle die de hand schudde van de Chinese dichter Wen Yiduo, dat stond tenminste onder de foto, ik weet niets van Chinese dichters.

Twee mannen die pétanque spelen, de foto droeg een opdracht van Jean-Paul Belmondo. Inderdaad, als je goed keek was een van hen Belmondo.

Een close-up van een vrouwelijke arts met gebitsbeugel, die met haar vingers het victorieteken maakt.

De president-directeur van Citroën, Christian Streiff, die de ngo een Berlingo-bestelwagen schenkt.

Vasili Borisovitsj Nesterenko van BELRAD, Minsk, Wit-Rusland.

Dat is de man die ik zoek, zei ik tegen de secretaresse. Op de foto was Vasja te zien terwijl hij het trapje van een vliegtuig van Belavia afdaalt, en eronder stond: Profesor Vasili Borisovitsj Nesterenko, gered uit de stad Prypjat en van de radioactieve straling. Atoomkolonist. Precies, deze is het.

Zij beperkte zich ertoe mij te zeggen dat ik de foto moest terughangen, want hij was niet bedoeld voor de eerste de beste passant. Hoewel we het wat haar betreft snel eens konden worden. Maar op dat moment kwam Gilles Irondelle gehaast binnen en nodigde mij uit in zijn kantoor, en om geen tijd te verliezen door de foto weer op te hangen, hield ik hem bij me en ging na hem naar binnen, ik zou hem bij mijn vertrek wel terughangen. Terwijl hij zijn regenjas uittrok vroeg Irondelle me wat ik wilde.

Ik legde hem uit dat ik voor de Internationale Conferentie voor Gewichten en Maten, kantoor Sèvres in Boulogne-Billancourt, werkte. Ik zei hem mijn naam en hoe ik op de conferentie genoemd werd, Twee Kilo. En dat ik die Vasili Nesterenko van de foto een paar weken onder mijn hoede had gehad en dat hij nu weg was.

Ah, natuurlijk is hij weg. Hij is weg en u wilt weten waar uw beste Nesterenko is gebleven. Wel, u heeft de juiste persoon te pakken om u dat te vertellen.

Irondelle zette zijn bril op. Hij nam een papier en een balpen. Onder het praten tekende hij concentrische cirkels.

Eergisteren meldde hij zich in dit kantoor. Hij ging zitten op de stoel waarop u nu zit en hij verzocht me hem naar Prypjat te brengen.

Hij zei dat als we hem daar hadden weggehaald, we hem daar ook naar terug moesten brengen, zo zag hij het.

De balpen was veelkleurig en Gilles Irondelle verving de blauwe door de groene kleur.

Uiteraard heeft dat van zijn vrouw Ilsa hem eronder gekregen. Heeft hij u dat niet verteld?

Ik zei van niet.

Wel, een drama waar niemand van weet waar het op uitdraait.

Het schijnt zo te zijn dat zijn broer Volodja hem twee keer uit Minsk heeft gebeld. Een keer om hem te zeggen dat hij uit het appartement moest verdwijnen omdat ze naar hem op zoek waren. De tweede keer om hem te vertellen dat drie mannen het huis van Jelena Demidova waren binnengedrongen, Ilsa hadden opgepakt en haar hadden meegenomen. Zegt u eens, hoe zou u dat noemen? En wat vragen ze daarvoor in de plaats? Ze laten niets horen. Zijn overgave? Een ruil?

Irondelle keek mij aan, in afwachting van mijn standpunt. Toen ik hem dat niet gaf, begon hij met zijn veelkleurige balpen oranje ruiten te tekenen.

Wij hebben geen geld over, maar u had zijn verdriet moeten zien. Uiteindelijk heb ik hem naar het vliegveld gebracht.

Maar waarom wilde hij zo graag naar Prypjat?

Dat heb ik hem zelf ook gevraagd. Terwijl Ilsa bovendien verdwenen is. Toen vertelde Nesterenko me dat de middag waarop

Le SAMU Social hem aan uw hoede toevertrouwde, een man hem in een appartement van Sèvres onderbracht. Hij heette Salcedo, uw secretaris, nietwaar? Behalve een kitchenette en een tijdelijke creditcard had hij een computer met internetverbinding voor hem. Toen hij BELRAD wilde schrijven en hun wilde smeken om nieuws van Ilsa, opende hij zijn e-mail en zag dat er een bericht was.

Het was het anonieme briefje dat Jevgeni Brovkin op het stuur van zijn busje had gevonden om aan de *Beloroesskaja Delovaja Gazeta* te geven. De laatste regels leken hem een eis, een valstrik wellicht. Jevgeni Brovkin vertrouwde het niet, dus in plaats van het aan het tijdschrift door te spelen, maakt hij een scan en stuurde het naar Vasja om te zien wat hij, in geval hij het in het buitenland te lezen kreeg, ervan dacht: Het leven in Prypjat is erg moeilijk, begon het. Hier heeft u het vel papier dat Vasja me gaf.

Gilles Irondelle trok het uit een la en begon het me voor te lezen.

Prypjat, het zou beter zijn er duizend kilometer van verwijderd te zijn. Maar als er niets anders op zit, met meer geld zou het een mooie plek kunnen zijn.

De spoorwegman van Janov is dood. Hij moest voortdurend braken en op een dag vonden we hem in het stinkende zwembad van de sporthal Tsjemigov. Of hij erin was gesprongen of dat daar zijn uur was gekomen weten we niet.

En Savka heeft ons ook verlaten. En de baby van Annalese Prose werd te vroeg geboren en leefde maar een paar uur. Hij is in een vlag van Canada begraven. Het laboratorium wilde kost wat het kost zijn lichaam hebben, en we moesten ze laten weten dat daar geen sprake van kon zijn. Alle foto's die ze willen, maar het lichaam niet. Einde experiment. Ze zijn weggegaan.

Alles goed met ons.

Maar laat de toeristen ons met rust laten.

De onderzoekers, de documentairemakers voor de televisie.

Laat ons met rust. En als dat niet kan, breng ons dan in ieder geval voedsel.

Samosjol, dat is wat we zijn.

Jazeker, Anna Onikonevna Kalita is nog een paar dagen vergund. Ze draagt het lijdzaam, ze is al erg oud en ze zegt dat het haar ooit moet overkomen, het trekt haar ook wel aan. Daarom is ze paddenstoelen gaan eten, bramen, 's nachts kan ze niet slapen en maakt ze bosbessenjam.

Ze zweert dat ze tenminste een maand al niet slaapt, maar ik zeg hoe kan dat nou.

En Nastja Jeltsova werd op een goeie dag door haar dochter Vera opgehaald. Ze gingen terug naar hun oude Oekraïense *chata*, na de dood van de kleine Marat. God geve dat er niet nog meer uienharten geplant moeten worden.

Maar anderen houden vol. Ze hebben hun inzinkingen, maar laten zich niet kisten. Bijvoorbeeld een jongetje met de naam Semjon Pozjar, die een liedje bedacht voor zijn vogel Anatoli. Die is nu aan het leren gitaar te spelen. Hij kwam met zijn ouders voor een paar spullen uit het appartement waarin ze hadden gewoond en die willen nu niet meer weg, ze zeggen dat ze bij nul beginnen en dat er overal straling voorkomt, niet alleen in Prypjat.

Als jullie willen, kunnen jullie ons geld sturen via onze medewerker, de heer Gilles Irondelle van l'Espoir des Hommes in Parijs. Een ren kippen zou geweldig zijn. Wij zijn mensen van vlees en bloed. Dat hun kam zwart wordt? Nou, dan halen we die eraf.

Als iemand naar Prypjat wil komen en wil blijven, hij is welkom. Als hij het hier uithoudt kan hij een fatsoenlijk leven leiden. Als hij het uithoudt, laat dat duidelijk zijn. Er zijn er maar weinig die het uithouden, om eerlijk te zijn.

Nu we het daarover hebben, onlangs dook Ilsa hier op. De vrouw van Vasja Nesterenko, ons vroegere hoofd van het *gorkom*, Ilsa. Die dus.

Zie je, sommigen gaan dood, anderen niet. En dan heb je nog de mensen die terugkeren. We hebben geen klagen wat dat aangaat.

Ik bedoel dat er voor de doden onmiddellijk vervanging komt. Dat bedoelde ik.

In het geval van Ilsa, ze zegt dat het komt omdat een stel mannen haar met geweld uit het huis van een vriendin, bij wie ze inwoonde, hebben weggehaald en haar op de weg van Ivankovo hebben achtergelaten, vlak bij Prypjat. Een stukje van niets, een kilometer of twee, drie. Het schijnt dat ze tegen haar zeiden ga maar terug naar je vrienden.

We weten niet wat we ervan moeten denken.

Nu is ze hier bij ons en is er eentje meer. Maar ze zal niet lang leven. Ze begint al te zeggen dat ze moe wordt, dat ze koorts heeft en een paar zweren.

We zouden blij zijn met een dokter. Als hij komt, kan hij ons in de omgeving van het filmtheater Prometheus vinden.

Een goede specialist.

Einde van het anonieme bericht. Ik stond op en ging weg. Irondelle bleef alleen achter. De secretaresse van l'Espoir des Hommes durfde me niet tegen te houden toen ze me met de ingelijste foto van Vasja onder de arm langs haar bureau zag lopen. Ik nam hem mee zonder er een euro voor te dokken. Ik had de foto gratis en voor niks.

Chvorost vouwde het zeil van een militair voertuig open naast het graf van de Bachtiarovs. Hij spreidde het voorzichtig uit om de doden niet lastig te vallen en ging erop zitten om een blik rundvlees uit de Oeral te eten. Niet met de handen ditmaal, maar met mes en vork zoals beschaafde mensen doen.

Al geruime tijd had hij niets meer te wensen, alleen dat alles doorging zoals het ging. Of beter gezegd, toch wel. Hij had Jevgeni Brovkin iets heel concreets te vragen zodra hij weer kwam. Een koffieapparaat. Dat wilde hij Anna Zorina cadeau doen.

Dat en nog veel meer wilde hij haar cadeau doen.

Anna Zorina, waarom ben je niet met je zus meegegaan, vroeg Chvorost haar op een dag. Jullie konden het zo goed met elkaar vinden.

Zij trok haar schouders op. Toen draaide ze zich om en ging naar haar appartement in het Voschod, terwijl ze binnensmonds zei: je bent een stommerd. Dat vraag je me nu, waarom ik niet met haar ben meegegaan.

Anna Zorina kwam een week lang de straat niet op en de mensen van Prypjat vroegen zich af met wie ze dan over hun ziektes moesten praten.

Intussen begon Chvorost een suite in hotel Oktober, waarvan hij de watertoevoer had hersteld, op te knappen. Hij was van plan hem helemaal vol vazen met bloemen te zetten. Hij zette er een keuken in met kastjes van andere keukens, en toen hij klaar was bedacht hij Anna Zorina bij wijze van inwijding een cadeau te geven. Geen schilderij, ook geen kleren die andere vrouwen vóór haar hadden gedragen. Maar wel een koffieapparaat om koffie te zetten en samen de avonden door te brengen.

Chvorost maakte het blik vlees leeg en likte met zijn tong de restjes op. Nadat er zo lang geen reden voor was geweest, had hij nu geoefend in het gebruik van mes en vork. En, rekening houdend met de omstandigheden, hij had het er niet slecht van afgebracht.

Alleen ontbrak hem zijn vanillekleurige kostuum met een bloem in het knoopsgat, net zoals hij op de dansavond van de zussen Zorina was verschenen, die keer dat hij Anna had leren kennen.

En het besluit de stap te zetten.

Ik heb een plekje voor ons beiden in het Oktober, zou hij haar zeggen.

De enige getrouwde persoon in Prypjat was Ilsa, dus haar ging hij om raad vragen. Hoe moet je beginnen en hoe moet je verder gaan. En of het verstandig was iets over de toekomst te zeggen.

Hij ging naar het gymnasium, waar Ilsa woonde met Mariika en haar moeder en nog twee vrouwen die in Prypjat waren verschenen, en die Darja en Pavlina Ramanenka heetten, ook zussen net zoals de Zorina's. Hoewel, in het geval van de Ramanenka's was het een tweeling. De vijf hadden een subgroep gevormd van de algemene groep bewoners van Prypjat. Ilsa, je moet me helpen.

Chvorost had zijn vanillekleurige kostuum meegebracht om te zien of zij er iets aan kon doen, want omdat hij zo sterk was vermagerd, zat het hem niet zo goed als op de dansavond van de

Zorina's. Laten we met het pak beginnen. Ilsa ging bij de ramen van het gymnasium zitten en nam het in minder dan een uur in.

Het tweede wat ze voor hem had, was een goede raad: als hij de suite van hotel Oktober vol bloemen wilde zetten, dan moest hij tot het voorjaar wachten met trouwen.

Zo lang kan ik niet wachten, antwoorde Chvorost.

Daarna zei Ilsa dat hij de middelen moest gebruiken om kinderen te voorkomen.

Maar kinderen zijn het leven.

Ilsa ging verder alsof zij hem niet had gehoord: Dat ze geen onheilsbode wilde zijn, maar hoelang had hij gedacht dat het feest daar nog zou duren. En als de een dood zou gaan, wat moest de ander dan.

Met in zijn handen de stroken die over waren van het pak, vroeg Chvorost haar iets positiefs te zeggen.

Akkoord, ik zal je gedichten leren om voor te dragen. Van Anna Achmatova, 'We zijn zo vergeven van elkaar'. Of verzen van Grigori Tsjoebai.

Chvorost vertrouwde meer op het koffieapparaat, dan hoefde hij zijn mond niet te openen op het moment van de poëzie. Hij vouwde het zeil op waarop hij had gezeten, en gooide het over zijn schouder. Toen kuste hij het kruis dat de plek van het graf van de Bachtiarovs aangaf. Jullie, doden, begrijpen mij wel. En hij nam een laatste slok water, op de gezondheid van degenen die onder de grond lagen.

Morgen zeg ik het haar. Ik zal haar zeggen: Anna Zorina, trouw met mij. En maar zien wat ze antwoordt.

Uiteindelijk won ik de stemming over het voorzitterschap van de Sectie Kilo. Het leek wel duidelijk dat zich, na het vertrek van Roland Jöhri, een meer transparant bestuur aankondigde en dat Montignoso, die op het algemeen voorzitterschap aasde, degene zou zijn die de verantwoordelijkheid zou krijgen om het prestige van de Conferentie voor Gewichten en Maten te herstellen. Daarvoor moesten de afgevaardigden echter eerst voor de Kilo stemmen, want het reglement stipuleerde dat eerst de secties waarvan het bestuur vernieuwd moest worden, daarin moesten voorzien, en dat dan pas de algemene leiding kon worden gekozen.

Er werd op mij gestemd en ik won, en sommigen beperkten zich er niet toe mij met een handdruk te feliciteren, maar omhelsden me zelfs. De sectieadviseurs begonnen mij op een andere wijze aan te spreken, dat was te merken. De wiskundigen, de fysici, en dat terwijl zij slechts het technische orgaan waren. En Jana van haar kant kon er geen genoeg van krijgen mijn uitverkiezing met mij te vieren door iedere avond nieuwe lingerie te dragen en me op elk tijdstip te kussen, het argument bij uitstek om me in vuur en vlam te houden.

Ik reisde naar Londen en constateerde dat het protocol om de gewichten te wegen daar perfect werd opgevolgd, alles was naar mijn zin, ik had niets op de Engelsen aan te merken, de vertrekken in het Blakes, in South Kensington, waren schitterend. In Berlijn bezocht ik het Federaal Kalibratielaboratorium, waar een definitief rapport werd opgesteld ten gunste van de kilodefinitie volgens de methode van het compleet sferische siliciumkristal, en liep ik onaangekondigd het kantoor van Peter Becker binnen. Ik ging naar Mexico, naar Caracas, naar Havana en zag daar dat men zeer rigoureus was in alles wat met de homologatie te maken had, omdat ze daar belang bij hadden.

En Minsk, vroeg Jana me toen ik terugkwam van mijn reis door Zuid-Amerika.

Minsk, hoezo?

Die avond hadden we op onze kamer in het Véfour gedineerd, met niet meer kleren aan dan een kamerjas en geen andere gespreksstof dan onszelf. Zij stond haar tanden te poetsen en ik moest wachten tot ze haar mond had gespoeld.

Minsk, de hoofdstad van Wit-Rusland, zei ze ten slotte. Wanneer denkt Salcedo je daarheen te sturen? Volgens mij is het op ongeveer driehonderd kilometer van Prypjat.

Jana duwde me de badkamer uit.

Ik zeg dat omdat ik nieuws heb, voegde ze er van de andere kant van de deur aan toe.

Goed nieuws voor Vasja.

Ah, Prypjat, Prypjat. Ik was zo druk geweest met Jana en mijn nieuwe functie dat ik die naam bijna was vergeten, evengoed als de dagen die ik met Vasja had doorgebracht, niet echt vergeten maar weggedrukt naar wat voorbij was, en ineens was het er weer. Vasili Nesterenko, Vasja, misschien was hij intussen in Prypjat, want die man had duizend levens, hij bedekte zijn gezicht en nam het openbaar vervoer naar Gomel, en vandaar was hij wellicht in een particuliere auto meegenomen naar de uitsluitingszone en eindelijk weer verenigd met Ilsa en met de groep atoomkolonisten. Ik herinnerde me wat hij vertelde van de dansavonden van de zussen Zorina, kortgeleden had ik de oudste, Olga, leren kennen, op de boerderij die de mensen van l'Espoir des Hommes vlak bij de begraafplaats Pantin-Bobigny hielden. Toen kwamen de dagen met Vasja me weer voor de geest, de dagen die hij bij mij woonde en die hij niet bij mij woonde, de dagen in Prypjat terwijl hij de gemeenschap van overlevenden organiseerde, maar ook de dagen waar hij niet over sprak en die ik me zo voorstelde in door sneeuw geïsoleerde gebieden, het invallen van de avond in militaire steden van Siberië, de bevroren grond, de dagen die waren samengebald in de naam Prypjat leken me nu een veronachtzaamde verplichting, Prypjat was een steen op je maag, Prypjat was het einde van de wereld, Prypjat was het totale niets. Jana Ledneva kwam uit de badkamer. Geen gepieker meer, zei ze terwijl ze de ceintuur van haar kamerjas losmaakte.

Ik zei dat van Prypjat omdat ik de dagen waarin jij op reis was, niet wilde doorbrengen met je alleen maar te missen. Zorg dat je iets hebt wanneer hij terugkomt, zei ik tegen mezelf. Dus belde ik met de CRIIRAD, de Commissie voor Onafhankelijk Onderzoek en Informatie over Radioactiviteit. Die zit in Valence, Avenue Victor-Hugo 471. Zij gaven mij het telefoonnummer van Bandazjevski.

Jana Ledneva kwam naar het bed en ging naast me zitten. Ze had haar haren nog niet losgemaakt, zoals ze gewoonlijk deed voordat haar gefluister in mijn oor in daden overging.

Het eerste wat Bandazjevski deed, vervolgde ze, was zeggen dat hij geen enkele Vasili Nesterenko kende.

Wel waar, Vasili Nesterenko. Vasja. Uit Minsk. Ik vertelde hem dat jij hem als vluchteling in huis had gehad. Ook dat wij wisten van de ellende van Ilsa, wat ofwel als ontvoering beschouwd kon worden, of als terdoodveroordeling. En dat zijn broer Volodja heette en dat zijn kleindochter Darja op de bedrukte etiketten van de potjes Vitapect II staat. Wat wilt u nog meer? Het leek wel of de verbinding verbroken was, zo stil bleef hij. Totdat hij plotseling mijn naam vroeg en het nummer waar hij mij kon vinden, hij zou me met een paar dagen terugbellen. En terwijl jij nog in het buitenland zat, ging de telefoon en het was Bandazjevski: kom me in Valence opzoeken. Ik kon niet wachten tot ik wist wat jij ervan vond en gisteren heb ik met hem gegeten.

Hij zegt dat hij niet weet waar Vasja is.

Net op dit moment, nu de Academie voor Wetenschappen met haar aanbod om een atoomcentrale in Wit-Rusland te leiden, verzoening wil.

Hij zegt dat hij op een dag dat hij het gebouw van de CRIIRAD verliet, door een vrouw werd benaderd die er zo gewoon uitzag dat het hem moeite kostte haar te beschrijven, eigenlijk alsof ze er in geen enkel concreet opzicht was, soms worden ze daarop geselecteerd, en ze zei meneer, dokter Bandazjevski, ik zou met u willen praten, en dat hij toen in een plas stapte en dat de vrouw zei: Ik zal u niet langer dan tien minuten ophouden.

De vrouw heette Jekatarina Nikolajevna, vertelde Bandazjevski me. En ze liet hem een gezegeld document zien met die naam. Van de Staatsveiligheidsdienst.

Ze zei dat Wit-Rusland had besloten haar politiek ten opzichte van dissidenten te wijzigen, om de OECD tegemoet te komen.

U bent een van de begunstigden, dokter Bandazjevski. U zult gemerkt hebben dat u voorwaardelijke vrijheid is toegekend, nietwaar? Het kan zelfs zijn dat de zaak tegen u wordt geseponeerd, hoewel, dat hangt er nog vanaf.

De kwestie is dat het nu de beurt is aan een vriend van u, professor Vasili Nesterenko.

Dan vertelt Bandazjevski dat die Jekatarina Nikolajevna haar schouders ophaalde, alsof het haar niet aanging. Vervolgens gaf ze hem een brief van het *Ministerstvo Zdravochranenia* voor professor Nesterenko.

Vraag me garanties. U kunt ook de ambassade bellen, we hebben daar met elkaar besproken hoe we u moesten benaderen, of dat officieel moest of niet. Maar we voelen ons niet erg trots op de manier waarop we het tot nu toe hebben aangepakt.

Die mannen van de Toyota en nog een paar anderen zijn naar Vitebsk gestuurd, in het noorden. Die waren duidelijk hun boekje te buiten gegaan.

Twee motorrijders zijn naar Prypjat gegaan om Ilsa te zoeken om haar te evacueren, maar ze moet ergens in de gebouwen zitten en het lukte hun niet haar te vinden. Ze roepen haar op met een megafoon en ze hebben de stad volgehangen met mededelingen: we willen u terugbrengen naar huis, kom naar het reuzenrad en we nemen u mee. Maar niets. Dus hebben we de gidsen Rimma en Jevgeni Brovkin gevraagd haar, zodra ze haar zien, daar meteen weg te halen. Anders gaat ze dood.

En als dat gebeurt, hoe krijgen we professor Nesterenko dan nog terug? En hoe moeten wij het onder elkaar dan weer eens worden?

Bandazjevski zei tegen me, ging Jana verder, dat die vrouw hem bij zijn arm greep: Kijk me aan, ik ben Jekatarina Nikolajevna, Vasja en ik studeerden samen aan de Technische Hogeschool in Moskou, ik weet zeker dat hij mij niet vergeten is.

Omdat hij een vriend van u is, weet u waarschijnlijk wel waar hij is. Overhandig hem deze brief en er is geen sprake meer van een rechtszaak tegen u.

Het schijnt dat Jekatarina Nikolajevna zich toen omkeerde naar een paar populieren en twee mannen aanwees die daar rondhingen. Zoek anders een tussenpersoon, want we hebben er allemaal belang bij dat dit goed afloopt.

Jana bracht vochtinbrengende crème aan op haar handen. Intussen waren wij van leven veranderd en was er tussen ons een huiselijke en rustige intimiteit gegroeid. Haar losgemaakte haren vielen nu in beloftevolle golven naar beneden, ze legde haar oorbellen op het nachttafeltje. Toen ontdeed ze zich van haar kamerjas. Jana Ledneva rook naar winter.

6

Een windhond komt dichterbij om ons te besnuffelen. Ik weet niet wat hij zoekt, aanhalingen of de dood. Hij rilt en zijn bek is met bloed besmeurd. Jevgeni Brovkin zegt dat die hond niet lang meer te leven heeft, zonder tanden staat hij er slecht voor.

Maar ik begrijp hem niet als hij praat, want ik ken geen Russisch. Ik verzin maar wat hij zegt: dat op zekere dag tientallen helikopters uit de hemel neerdaalden, en hij wijst aan waar ze landden. En dat er mensen wonen in Prypjat, want afgelopen winter verscheen er een man op een fiets, zegt hij, of verbeeld ik me dat hij dat zegt. Hij kwam naar ons toe, zo bleek als een lijk. Na elkaar een minuut te hebben aangekeken liet hij de bel rinkelen en vertrok. Toen was nog niet bekend dat het een atoomfysicus was. Hij wordt de fietser van Tsjernobyl genoemd. Hij werd met een camera gefilmd en nu staan de beelden op de website van een amateur.

Jevgeni Brovkin, ik versta er nog steeds geen woord van. Maar je hebt het vast en zeker over Prypjat.

Ik heb een pasje van het Ministerie voor Noodsituaties van Oekraïne en ik heb vierhonderd dollar betaald, net zoals die twee vrouwen die arm in arm alle plekken bezoeken, net zoals de journalisten van RTL-tv, die maanden nadat ze in de *Beloroesskaja Gazeta* hadden gelezen dat er een gemeenschap van bewoners in Prypjat was ontdekt, voor een documentaire zijn komen filmen. Er is ook een man alleen bij, dat ben ik, het lichaam in plastic gewikkeld als bescherming tegen het invasieve atoom; wanneer het CBLB502 van doctor Goedkov uit Cleveland al op de markt zou zijn, zou ik mezelf al een dosis hebben geïnjecteerd.

We worden vergezeld door twee militairen en een verpleger met een geigerteller in een draagriem. We lopen allemaal achter de gids aan met een blauwe band om zijn arm, die hem op een onderofficier doet lijken, middenkader in plaats van held van de radioactieve straling. Hij vertelt me in het oor dat ze hem vroeger potjes met insecten uit de streek lieten verkopen, maar dat hij dat tegenwoordig ondershands moet doen. Ik kan kijken of er nog iets over is, zegt hij, dat zou een paar biljetten extra betekenen, ik accepteer dollars, euro's ook.

Maar ik begrijp jouw ingewikkelde taaltje niet, Jevgeni Brovkin, alleen het ontlastende document dat je ons liet tekenen voor we naar Prypjat kwamen: Betreed het gras niet, loop altijd over het asfalt. Raak niets aan. Verwijder u niet meer dan noodzakelijk van de anderen. Trek de anoraks niet uit. Omdat ze van tevoren heeft gewaarschuwd is de onderneming niet verantwoordelijk voor toekomstige ziektes, was getekend door beide partijen. Dat is de stem van gids Jevgeni Brovkin, dat hij bestaat. Hij is echt. Ik zou hier een foto van hem moeten plaatsen.

Om de woorden die hij in het Russisch spreekt en die ik in het Spaans verzwijg elkaar te laten ontmoeten, vraag ik ten slotte: Vasili Nesterenko?

Ik laat hem de foto zien die ik uit l'Espoir des Hommes heb meegenomen.

En ik geef hem een papier dat Jana in het Russisch heeft geschreven, waarin wordt uitgelegd wat ik in Prypjat doe.

Na het gelezen te hebben scheidt hij mij van de rest en neemt mij mee achter de bus. Zijn handen zijn indrukwekkend, zijn adem die van een gesloopte man. Nu ziet het ernaar uit dat hij mij heeft begrepen. Maar de soldaten hebben door dat we iets beramen en protesteren. Hier worden geen zaken gedaan, zeggen ze. En u, ze hebben het tegen mij, kwam u Prypjat niet bezoeken? Dan kunt u beginnen met foto's maken als u niet wilt dat de avond u overvalt.

Ook van de soldaten versta ik geen woord, maar hun gebaren zijn makkelijk te vertalen.

Ik hef mijn handen op en wapper ermee in de lucht zodat ze zien dat ik niks aan het verhandelen ben.

Jevgeni Brovkin draait zich om en steekt een sigaret op.

't Is allemaal heel duidelijk. Dan maak ik gebruik van het moment om naar een paar bomen te lopen om foto's te maken en ik kijk naar de grond alsof ik iets zoek dat ik in een vorig leven heb verloren. Ik ben echter nooit eerder in Prypjat geweest, het is pure zelfreflectie.

De gebouwen binnenlopen en op iedere verdieping de naam van Vasja roepen, zo'n simpel plan zegt duidelijk iets over mij. Maar wat kan ik anders doen?

Ik zie het reuzenrad, de piste met de botsautootjes op amper honderd meter. Rechts van mij de cabine waarin Vasja zich naar eigen zeggen verschool. Die is nauwelijks zo groot als de cabine van een vrachtauto. Ik ga proberen daarheen weg te glippen.

Ik zeg tegen de soldaten dat ik foto's ga maken, dan zien ze dat ik hun advies waardeer, en zij gebaren me dat ik mag gaan waar ik wil, zolang ik hen maar met rust laat.

Ik veronderstel dat dat het is wat ze me hebben gezegd. Het lijkt wel of ik het Russisch intuïtief begin te begrijpen.

Vasja had verteld dat hij in hotel Polesje sliep. Ik heb honderden foto's van Prypjat gezien en ik geloof dat ik het gebouw zou herkennen. Ik nader de botsautootjes en ik zie een paar touwen die ze met elkaar verbinden. In een hoek van de baan zit een aantal zakken vastgebonden aan de reling, negentien tel ik er. Vasja vertelde me dat hij op die manier in het begin het gezelschap van zijn vrienden en familie uitbeeldde, en zo zie ik het nu ook, het was allemaal waar.

Ik kijk steels naar de soldaten. Volgens mij houden ze niet van de buitenlucht want ze zijn in het busje gestapt en zitten op de achterbak te dommelen. De mensen van de RTL zijn de statieven voor hun camera's aan het opstellen. De twee vrouwen huilen, misschien moeten ze aan hun kinderen denken, toen ze nog in ditzelfde park speelden. De gids, Jevgeni Brovkin, leest een krant.

Dit is het moment. Zonder dat iemand het merkt loop ik naar het eerste gebouw. Ik bedek mijn mond met een maskertje. Ik zie gesloopte deuren, zelfs de trapleuningen hebben ze meegenomen, zo ga ik niet naar boven. Ik spring een binnenplaats op. Tussen de huizenblokken staat veel onkruid. Ik loop langs een verbrande auto waar de wielen vanaf zijn gehaald.

Ik bereik de deur van het naastgelegen gebouw en loop een paar treden op. Braamstruiken overwoekeren alles, ik zie een omvergegooide bank en links van mij een wastafel die iemand van boven naar de overloop heeft gesleept en vervolgens daar heeft achtergelaten.

Op de grond zie ik een ijzeren staaf die als hefboom dienst kan doen. Die staaf zal me van pas komen. Ik bonk ermee tegen deuren. Honden zullen me horen en wanneer er in plaats van honden mensen zijn, zullen ze misschien vragen wie ik ben en wat ik wil. Hoezo wat ik wil? Nogal makkelijk: Vasja en zijn vrouw, de Nesterenko's, om ze te vertellen dat er niemand meer rekenschap van ze vraagt, ik heb een brief van het *Ministerstvo Zdravochranenia* bij me waar dat in staat.

Ik ben een tussenpersoon.

Ik ga de trap op naar de eerste verdieping, loop door de gang waar een tiental geopende deuren op uitkomt. De laatste middagzon schijnt van een kant naar binnen en geeft een aangenaam licht. Ik kijk een van de appartementen in. Van de muren hangen repen gekleurd papier die lang geleden vanwege de vochtigheid hebben losgelaten. Er liggen foto's verspreid over de grond, eentje van de voetballer Streltsov, midvoor van Torpedo Moskou, die de Russische Pelé werd genoemd. Een andere van een zwaaiende Leonid Brezjnev. Als het aan mij ligt vertrek ik, ook al zou dat betekenen dat ik de reis als verloren beschouw, Vasja veroordeel en Jana teleurstel. Wat mij betreft, soldaten, is het bezoek voorbij.

Maar even verderop zie ik een naaimachine op de grond liggen, zoals de machine die een zekere Olga zich herinnerde, Olga Kolosova heette ze. Mijn mouwloze blouse, de modernste van heel Oekraïne, schreef ze onder een foto. Op dat moment realiseer ik me dat het niet het plastic is onder mijn kleding dat me niet laat ademhalen. Maar dit nadrukkelijke niets. Deze totale verlatenheid. Deze naaimachine. Deze hond die in de deur verschijnt en me blijft aankijken.

Al snel verschijnen er andere honden.

Maar ik heb een ijzeren staaf, dus is het niet moeilijk ze te verjagen. Daarna ren ik naar buiten, een open veldje op en wanneer ik een gebouw bereik met stenen laurierkransen langs de dakrand, vlucht ik naar binnen. De honden zijn op een afstand gevolgd, alsof ze me gezelschap houden, maar ten slotte verliezen ze hun belangstelling. Ik loop een paar trappen op en ter hoogte van de derde verdieping doe ik mijn maskertje af.

Ik ga een appartement binnen, op zoek naar aanwijzingen dat Vasja hier is geweest, en ik roep zijn naam. Ik heb iets voor u, Vasja Nesterenko, Ilsa, kom alle twee naar buiten. Ik ben bang een deur te openen en een familie aan te treffen die met zijn eigen zaken bezig is, kinderen met hun huiswerk. Boekjes, omvergeworpen meubels. Een Russische krant met Gorbatsjov op de voorpagina. Een leeg rundvleesblik, een shirt met de letters CCCP. Dat is wat ik zie. En door het raam, in de verte, een indrukwekkend bos, een rivier en waarschijnlijk de Straat van de Bevlogenen.

Als dit het Voschod is, dan ben ik drie of vier straten verwijderd van de bus van Brovkin.

Maar die is niet te zien. Ik ga naar een ander raam en ook daar niet. Ik steek over naar een appartement aan de andere kant. Zover ik kan kijken geen bus, geen halfrond plein te zien. Prypjat is heel wat groter dan ik dacht. De mist verduistert de namiddag en op de straat valt een fijne, druilerige regen.

Ik hoor een claxon en ik denk dat ze me roepen. Ik houd mijn adem in om te achterhalen waar het vandaan komt, maar de claxon klinkt niet opnieuw.

Ik kijk op mijn horloge en zie dat ik al een derde van de tijd heb besteed waarvoor ik heb betaald om in Prypjat te zijn. Het Paleis van de Pioniers, de Helden van Stalingradstraat, ooit leerde ik die namen uit mijn hoofd en nu zijn ze niet meer dan theorie. De Leninboulevard, waar is die verdomde Leninboulevard, als ik die vind kan ik me misschien oriënteren, het is een hoofdstraat. Het Paviljoen van de Technische Vooruitgang. Toch moet het busje van Jevgeni Brovkin niet ver weg zijn en wie weet missen de soldaten me al.

Ik ga naar beneden, naar de hal, ik trap op het gips van de plakkaten die van het plafond zijn gevallen. Ik kom buiten op een esplanade uit en links van me is een plantsoen vol onkruid.

Kom op, Vasja, kom nou naar buiten. Je vriend Bandazjevski stuurt me.

En mijn tijd raakt op.

De regen wordt sneeuw. Ik trek de ritssluiting van mijn anorak omhoog en loop verder. In een portiek zie ik iets wat op de plattegrond van een buslijn lijkt, met negentien haltes. Het is een schematische weergave zonder straatnamen, daar heb ik niks aan. In de sneeuw lijken alle gebouwen hetzelfde. Grijs cement, ramen zonder leven. Waar is het Prometheus, de Lesja Oekrainkastraat. Ik wist dat de sporthal Tsjernigov een zwembad en een basketbalveld had.

Het ontbreekt de stad aan verhogingen. Het referentiepunt hier is de rivier de Prypjat, die ik niet tegenkom na naar het noordoosten te zijn gelopen, of is het niet het noordoosten waar ik naartoe ben gegaan? Plotseling zie ik een man in de verte.

Vanavond is het feest, want ik ben van plan de kool die ik in de teil hier bij me heb, te gaan koken, zei hij in het Russisch, of in het Oekraïens, of voor hetzelfde geld was het de officiële variant van het Wit-Russisch. Hij ging door met nog een half dozijn zinnen, maar toen hij zag dat ik hem niet begreep, ging hij over in het Engels. Toerist, hè? Toen wees hij naar de kool: En, zou je hem willen proeven? Hij leek niet beledigd te zijn toen ik hem zei van niet, want hij trok zijn schouders op. Ik zei hem wie ik was en wat ik in Prypjat deed. Aanvankelijk toonde hij zich verbaasd. Wat een idee, zei hij, mensen hier. Dat zou vreemd zijn.

Hij keek naar zijn handen en bleef zo staan, alsof hij door andere gedachten werd meegevoerd. Daarna stelde hij zichzelf ook voor: Ik heet Zjmychov en ik hield me vroeger bezig met chemie.

Wilt u de kool proeven of niet? Kom, blijf niet zo zwijgen en zeg wat.

Maar ik luisterde niet, want ik dacht aan die naam Zjmychov, hij klinkt anders dan andere Russische namen, ik sprak hem een paar keer uit, toen zei ik hem in mijzelf, Zjmychov, ja, en dat hij chemicus was geweest was een spoor, wonderbaarlijk geheugen van me, zeg me, wie is die Zjmychov die tot mij spreekt. Zjmychov, nog ongeveer een minuut bleef ik de naam herhalen. En ineens schoot het me te binnen en ik zei: Zjmychov, Jaroslav Zjmychov. Volgens wat Vasja me in het Buenavista Mar vertelde moest hij in Prypjat onderduiken omdat hij een buitenlandse journalist had verteld in welke condities de sarcofaag verkeerde.

Hij stond aan het hoofd van het Laboratorium voor Anorganische Chemie in het instituut van Sosny. Daarom kende hij ook Engels, het was een goed opgeleide wetenschapper.

Kom mee, zei hij terwijl hij de inhoud van de teil omwoelde. Want behalve de kool heb ik een fles *samogon* thuis.

Ik vertrouwde het niet helemaal, maar wat voor kwaad kon die man, die door de aftakeling, het gruis en de afschuwelijke kou verzwakte man, mij berokkenen. Bovendien, als er iemand was die me naar Vasja kon brengen was hij het, want voor hetzelfde geld was zijn verbazing dat er nog iemand in Prypjat kon zijn, slechts toneelspel.

En u zegt dat u naar iemand op zoek bent?

Hij heet Vasja, Vasili, zei ik. Zijn vrouw moet daar ook ergens zijn.

O, ze komen nu met familie en al, zie ik. Ik blijf meestal binnen. En wanneer het donker wordt maak ik een wandelingetje.

Ik hielp hem een metalen plaat die dienstdeed als deur van een gebouw, opzij te schuiven. Er stonden overal bloempotten, hoewel zonder planten. En in de woonkamer een brandende kaars op een bord.

Voorheen kon je in de verte liedjes horen, zei Zjmychov. Dan ging ik onder de dekens liggen en zei tegen mezelf: Diep ademhalen en het gaat voorbij. En het ging voorbij.

Ik weet niet wat voor mensen het konden zijn.

Maar gaat u zitten, zei hij terwijl hij een krukje uit de keuken naar me toe schoof. Ook al ziet u alles in deze staat, het is niet het slechtste appartement van Prypjat. Het kostte me moeite het uit te kiezen. Uiteindelijk zijn ze allemaal van mij. Als u zou willen, zou ik u er een kunnen verhuren.

Enfin, wie was u aan het zoeken, zei u? Ah ja, Vasja. Een zekere Vasili, hoe?

Ik haalde uit een zak van de anorak de foto van Nesterenko. Toen hij hem zag begon hij te lachen en in zijn mond waren zwarte gaten te zien waar eerst tanden hadden gezeten. Nee maar, dat is Vasili Nesterenko, zei hij. Maar hij gaf me de foto onmiddellijk terug alsof hij zijn vingers eraan brandde.

Gaat u niet zitten? Als u wilt, zoek ik een betere stoel voor u.

Zjmychov had in de kamer een badkuip waarin hij vuur stookte om zich te warmen en om te koken. Hij stak een paar droge takken aan, een handeling die al zijn aandacht vergde, en zette er een pan met de kool op. Toen zocht hij iets in de laden van een commode. Ten slotte zei hij: Hier heb ik ze, ik had ze bewaard voor een speciale gelegenheid: Kosmossnoepjes.

Maar ik voed me natuurlijk niet alleen met snoepjes. Ik verbouw kool in de tuin, de lekkerste kool, zoals die u vanavond gaat eten.

Zjmychov gaf me een paar schouderklopjes om me op te beuren: Hé, kom op, neem ik een gast mee naar huis en blijkt-ie half stom te zijn. En als het is dat u bang bent, wees dan maar gerust, want ik heb in Sosny een paar geigertellers ingepikt en ik weet welke parken cultiveerbaar zijn.

Kolen, aardappels, *samogon*. U ziet, ik bied u alles aan wat ik heb. Als u nog eens terugkomt wil ik antibiotica als betaling. Want kijk. En toen sloeg hij de slippen van zijn jas open, hij liet zijn broek zakken en toonde me een paar benen met askleurige vlekken.

Ik zei hem: Ik heb nog minder dan een uur en ik moet Nesterenko zien.

Jaroslav Zjmychov zweeg terwijl hij reepjes huid van zijn handen plukte. Zijn schouders zwichtten onder de vermoeidheid. Uiteindelijk wen je eraan en je leeft, zei hij, je leeft verder.

En in Prypjat kun je op je gemak nadenken, dit zou een heel geschikte stad zijn voor filosofen.

Hij kwam overeind om te laten zien dat hij een man was die overtuigd was van wat hij zei.

Op een dag, vervolgde hij, vond ik in de hal twee levende kippen. Wat vindt u daarvan? Het was de eerste mei toen de twee kippen opdoken.

Bah, de eerste mei, ik krijg zin om te kotsen. Nou, wat vindt u ervan? Kom op, speel nou geen stommetje, zei hij terwijl hij de kool in het lauwe water omroerde.

In Prypjat bestaat vrijheid van meningsuiting.

Hij bracht zijn hand naar zijn voorhoofd. Ah, ja, de *samogon*, waar heb ik die?

Ik vroeg Zjmychov of hij me, als hij dan niet wist waar Vasai was, tenminste naar het park met de botsautootjes kon brengen. De middag liep ten einde en Jevgeni Brovkin stond misschien op het punt te vertrekken.

Daar ga ik niet heen, antwoordde hij. Dan moet je de Droezjby Narodov oversteken en die straat is heel radioactief. Trouwens, met deze sneeuw zouden we verdwalen.

Na een blik op de kool te hebben geworpen, sloot hij de pan met een dienblad om de stoom vast te houden. Met slepende tred liep hij naar de deur van het appartement en leunde tegen de deurpost. Blijf.

Jaroslav trok een houten kist dichterbij en ging erop zitten, zo verhinderde hij mij weg te gaan. Alsof hij zich klaarmaakte voor de nacht knoopte hij zijn jas dicht en zette de kraag omhoog, en op de harde ondergrond van de planken zocht hij een houding waarin zijn benen niet te veel pijn zouden doen.

Uit zijn zak trok hij een mes en vouwde het langzaam open zodat ik de afmeting goed zou zien.

Ik miste de moed om uit een raam op straat te springen en mezelf zo in veiligheid te brengen. Vanuit mijn ooghoeken berekende ik mijn kansen, want ook al leek deze man niet in de conditie om geweld te gebruiken, ik moest wel op mezelf passen.

En als Nesterenko in Prypjat is, ging Zjmychov verder, dan vinden we hem morgenochtend. U zegt dat hij hier woont en ik zeg van niet. Blijf maar, hoe kunt u nou midden in een discussie vertrekken?

Ik wilde hem niet tergen, en ik wilde ook niet dat hij zou zien dat ik bang was, en daarom kon ik er beter het zwijgen toe doen.

Jevgeni Brovkin is hier over een paar dagen weer, zei hij, dan kunt u met hem meegaan. En met uw Nesterenko, als we die tenminste vinden. Want ik ken een paar plekken waar misschien wel iemand is.

't Zou grappig zijn als het Nesterenko was, die die twee kippen voor me had achtergelaten.

Zjmychov keek de gang in.

Ik heb liever kippenvlees, dat is smakelijker. Maar dat van een hond is ook niet slecht. Gewoonlijk zit ik hier om te kijken of er toevallig een aankomt.

Met dit mes ben ik er zo klaar mee.

We bleven een tijdje zwijgend zitten vanuit de overweging, bij mij althans, hoezeer de zaken vanwege een zakmes waren veranderd. We deelden de kool samen in stilte terwijl het volledig nacht werd. Noch Zjmychov noch ik stond de slaap toe onze ogen te sluiten. Hij niet omdat hij niet wilde dat ik wegging. Maar waar kon ik heen, want stel dat ik de gang op ging en aan het einde licht zag of stemmen of rennende voetstappen hoorde, wat moest ik dan, en als ik de straat al kon bereiken, hoe zou ik dan het busje van Jevgeni Brovkin kunnen vinden. En als ik zelf ook niet sliep dan was het niet alleen uit angst, maar ook vanwege de stilte die pijn deed aan je oren.

Ik koos een hoek ver van het raam, legde een paar dekens op de grond en zette er bij wijze van dekking een paar stoelen voor. En toen ik dacht dat het gesprek beëindigd was, zei Zjmychov nog: Ik vergat u te vragen wat u van mijn kool vond.

Mals, zei ik.

Maar u heeft er heel weinig van gegeten. Morgen zal ik een betere voor u maken, kijken of u die lekkerder vindt.

Weer bleven we lange tijd zwijgen.

Toen vroeg ik hem naar Bachtiarov en hij zei dat hij die niet kende. Lavrenti Bachtiarov, drong ik aan. Hij zong met falsetstem, zoals Demis Roussos.

Demis Roussos komt me bekend voor, zei hij, maar die Bachtiarov niet.

Ik hurkte tegen de muur en zat zo zonder iets te zeggen, en hij opende ook zijn mond niet. Tot ik hem ten slotte vroeg naar een wedstrijd zaklopen die Vasja tegenover sporthal Tsjemigov had georganiseerd.

Zjmychov wist niets van wedstrijden zaklopen.

Ik vroeg hem wat een verbrande Volkswagen midden op straat deed, eens kijken wat hij antwoordde.

Ik zei of hij de Kamaz had gezien waarmee Tarasenko was gekomen om leeggebloed te sterven.

Nou, ja, soms wanneer ik buiten kom, zie ik wel eens wat. Maar ik heb u al gezegd dat ik amper buiten kom, en al helemaal niet overdag. Soms is de motor van een vrachtwagen te horen, mannen die discussiëren, ik hecht er geen belang aan.

Zjmychov hoestte een paar keer, toen legde hij nog een houtblok op het vuur en een uur, of langer, zaten we naar het knetteren van de vlammen te luisteren. Tegen die tijd wilde ik alleen maar een beetje conversatie om te weten dat Zjmychov een paar passen van me verwijderd was. Niet te ver, maar ook niet zo dichtbij dat ik me zou moeten verdedigen. Er lagen kleren opgehoopt in een hoek. Een paarlemoeren kam. Plastic bloemen. We zagen een duif langs de deur lopen, hij stopte even en vervolgde toen zijn weg.

Samosjol, zei ik. Weet u wat dat betekent.

Maar Zjmychov antwoordde niet.

Samosjol.

Houd uw mond, zei hij. Anders hoor ik niet of er honden komen.

En zo, zonder nog te praten, raakten mijn ogen naarmate het vuur wegkwijnde gewend aan het duister, en in het licht van de maan begon ik de omtrek van de dingen weer te zien, twee kakkerlakken, de ogen van Jaroslav Zjmychov die mij aankeken.

Ik vond een Oeralmotor in een appartement in de Helden van Stalingradstraat, zei hij heel zachtjes, alsof hij bang was dat iemand het hoorde. Iemand heeft hem daar mee naartoe genomen om in alle rust zijn ingewanden uit elkaar te halen en ze over de hele kamer te verspreiden. Als een kannibaal. Wat ik vind, is dat dat niet kan.

In de ochtend, toen de zon de nevel verdreef, gingen we de straat op. Ik duwde de rolstoel, waarin Zjmychov me vroeg hem mee te nemen zodat zijn benen minder vermoeid zouden raken, door de sneeuw en hij wees me de weg. We liepen de Helden van Stalingradstraat af terwijl we Nesterenko riepen, hoewel ik eigenlijk op zoek was naar het busje van Jevgeni Brovkin, of ze misschien de hele nacht op me hadden gewacht. We kwamen langs de brandweerkazerne, langs het *gorkom*, aan het einde van een straat stond de fabriek van wasmachines. Zjmychov las in het Russisch de namen voor, of de opschriften, daar staat: 'De kennis van vandaag is morgen de efficiency op het werk,' zei hij. En hij legde me uit wat elke plek was. Of dat vanaf die straat district N-2 begon. 'De wetenschap is onze moderne manier van leven', 'Uw kinderen zijn u elke dag dankbaar voor de toewijding die u toont.' We vermeden de Droezjby Narodovstraat, en sowieso het zuiden van de stad, en hij zei dat hij zijn geigerteller niet nodig had om een schone route te vinden, want die rook hij, daarin was hij behoorlijk goed. Kijk maar naar mijn neus, zei hij. Heeft u ooit zo'n grote neus gezien? Wel, die functioneert feilloos, die reukzin van mij is een godsgeschenk.

Halverwege de ochtend kwamen we bij hotel Oktober aan, dat hij onderweg aandeed om daarna naar het filmtheater Prometheus te gaan, en daar hielden we halt. Ik hielp hem op te staan uit de rolstoel en samen gingen we naar de deur. Ik haalde een paar planken weg, de braamstruiken sloeg ik plat met een buis die bij de plunderingen was vergeten.

Om de rust niet te verstoren, deden we alles heel zachtjes. We gingen de hal van het Oktober binnen. Als Vasja daar woonde dan zou hij misschien schrikken wanneer hij onze stappen hoorde, en de gebouwen die gasten herbergen staan erom bekend afgelegen vertrekken te hebben waarin je je kunt verbergen. Het had dus geen enkele zin te wachten tot hij op eigen initiatief naar buiten zou komen. Laten we hem roepen en klaar.

En als in plaats van Vasja Ilsa verschijnt, dan praten we met haar en we vertellen het. Het leven wacht op jullie en iemand moet het jullie vertellen, was ik van plan te zeggen zodra ik hen zou zien.

Zjmychov luisterde niet naar me. Terwijl ik rondkeek, had hij een zak om zijn schouders geslagen die hij in een hoek had gevonden, want het leek in het Oktober wel poolwinter en twee truien plus een overjas was te weinig. Zo liep hij een gang zonder ramen in die naar de dienstvertrekken leidde en zei dat hij meteen terugkwam. Want voor hetzelfde geld zat Nesterenko in het souterrain of in een voorraadkelder, of misschien nog lager.

Niet doen, zei ik. Maar Zjmychov liep door totdat hij door de duisternis werd opgeslokt.

Daar stond ik, alleen in het midden van de eetzaal. Een paar minuten nam ik de verwaarloosde omgeving in ogenschouw. Vocht van het plafond liep langs een muur en de vlekken die het achterliet leken een landkaart, of gezichten, of een ziekte. Een paar vloertegels waren overeind gekomen, een boomwortel moest ze omhoog hebben geduwd of misschien zat er gewoon een gat. Naast een meterkast stond een kruiwagen. De vensterruiten waren ondoorzichtig door de modder en tegen de muur had iemand een matras van schuimplastic achtergelaten.

Vieze plassen, een bundel kabels, de lichte ruimte van vele vierkante meters comfort, dat was hotel Oktober. Ik zag een piano zonder toetsen, een wandrek van hout dat door de vochtigheid was opgebold, ik liep naar een ruimte waar het kantoor moest zijn geweest, verspreid over de vloer lagen geprinte vellen papier, lijsten, kasboeken.

Een half uur later was Zjmychov niet terug. Ik riep hem. Kom naar buiten, Zjmychov, en laten we Vasja op straat gaan zoeken of in het Prometheus, daar hebben we meer kans. Ik liep naar de gang, deed nog een paar passen en zei: Al goed, als u hem in het souterrain zoekt dan ga ik in de omgeving kijken, ik heb liever de buitenlucht.

Maar het was even onaangenaam in het Oktober als buiten, want de sneeuw had de kleuren uitgewist, dus ik bleef nog een poosje op Zjmychov wachten, wat kon ik anders. Ik telde de stoelen, het was vreemd dat de plunderaars ze niet hadden meegenomen. Ik kraste in de verf van een muur en schreef mijn naam en de datum. In hotel Oktober zal voor altijd vaststaan dat ik er ben geweest, wie erheen gaat kan het zien.

Onder een tafel vond ik iets wat op een orthopedisch artikel leek.

Ik liep de gang van de liften in en ging via de trap naar de derde verdieping. Aan beide zijden van de gang waren kamers met badkamer, en zo vierentwintig per verdieping. Van de badkamers was niet meer over dan de tegels tegen de muur, een enkele keer een kapotte wastafel of een wandlamp. Geen enkele spiegel. Soms hoorde je het kraken van hout, wellicht een gordijn dat door de wind werd opgelicht. Ik riep Vasja of wie er dan ook op de bovenste verdiepingen woonde, maar niemand antwoordde.

Toch zag ik naast de deur van een vertrek die, niet zoals de andere, op slot zat, een zestal op elkaar gestapelde blikken. Ik sprak hardop de namen uit die Vasja me had verteld, zodat men wist dat ik niet direct een onbekende was: Anna Zorina, Lidia Savenko, Chvorost, waar zitten jullie? Ik zei iemand heeft hier een paar blikken voor jullie achtergelaten.

Ik wachtte op een antwoord.

Als jullie ze niet willen, neem ik ze mee, voegde ik eraan toe. En blijven jullie daarbinnen zonder eten zitten.

Ik was van plan een trap tegen de deur te geven, maar ik prefereerde niet te weten wat er daar binnen was. Ik pakte een paar blikken op, ook al peinsde ik er niet over ze open te maken, tenzij ik mezelf dood zag gaan. Ik deed een paar stappen naar achteren totdat ik tegen de muur botste. Ik wild niet wegrennen om niet te schrikken van mijn eigen voetstappen, zoals ik ook schrok van mijn stem die voortdurend niemand riep. Ik liep de trap af tot op de begane grond en zocht de uitgang op, en aangezien ik geen vertrouwen had in wat Zjmychov aan het doen was, vertrok ik.

Eindelijk stapte ik de buitenlucht in en liet Zjmychov waar hij was. Ik liep enkele straten door die me naar andere straten voerden, vervolgens door de velden in de omgeving en verder nog tot aan een vijver. Ik ging de aanlegsteiger op. In het water waren wellicht zwarte vissen, dat wordt gezegd, hoewel ik er mijn twijfels over heb. En ik merkte dat als ik al een plan had gehad, dat ik het nu niet meer had.

Ik keerde terug naar de huizen want het werd steeds kouder, en na een winkelbuurt te hebben afgelopen vond ik geen spoor van de bus van Jevgeni Brovkin.

Ik nam een boulevard die omzoomd werd door witte populieren, de stoep zat vol gaten en op het kruispunt met een dwarsstraat lag een lantaarn op de grond waar ik overheen moest springen. Ik keek naar de ramen of ik misschien iemand of enig teken van huiselijk leven zag. Ik ging het eerste gebouw binnen om te schuilen voor de sneeuw, die opnieuw was gaan vallen. Ik kroop door een raam. Ik zocht een hoekje en om het warm te krijgen bedekte ik me met een aantal kranten die ik in een kast aantrof. Aangezien ik de voorgaande nacht helemaal niet had geslapen en moe was, sloot ik mijn ogen even, vijf minuten maar, minder. Ik zette de capuchon van de anorak op, sloot de gespen en trok de ritssluiting omhoog om mijn ademhaling af te schermen.

De wintermiddagen leken daar korter dan waar ook. Ondanks dat begrijp ik niet hoe ik zo lang heb geslapen, of misschien kwam ik bij uit een flauwte wegens vermoeidheid of vanwege de straling, of uit de verraderlijke dood die me had meegevoerd en me nu terugbracht naar de wereld, en ik zei dat het genoeg was, vaarwel Vasja en zijn vrouw, vaarwel Zjmychov, want ik ging ervandoor en ik had helemaal geen bus nodig. Ik zou langs autowegen naar een bewoond dorp lopen, de kou, de bossen en de duisternis konden me niet schelen. Aangekomen bij het eerste huis zou ik om hulp vragen, ook al was het met gebaren. Ik heb dorst, en ik zou doen of ik uit een glas dronk. Haal me weg uit dit gebied en breng me alstublieft naar Kiev, of naar Gomel als u dat beter uitkomt. Ik had harde roebels in mijn zak.

Maar toen realiseerde ik me dat het 't slaan van de ramen was dat me had gewekt, het was geen inbeelding. Planken die op de grond vielen en vervolgens stappen. Ik hield me stil en ademde zo min mogelijk.

Wat later hoorde ik stemmen in de gangen. Misschien waren het vluchtelingen die naar buiten kwamen om met elkaar te praten en op een vuurtje het voedsel uit een voorraadkast op te warmen. Zoiets als een burenbijeenkomst, Vasja had me verteld over de vergaderingen van Prypjat. Aan de andere kant was dat hetgeen waarnaar ik op zoek was. Mensen.

Alsof ze elke dag op hetzelfde tijdstip samenkwamen hoorde ik de conversatie van twee mannen. Uit de toon op te maken leek het of ze grapjes maakten.

Onmiddellijk voegden er zich andere stemmen bij, ik kon ze niet tellen want ze spraken door elkaar, en nadat ze plotseling allemaal zwegen hield een vrouw een heel korte toespraak die eindigde met applaus.

Ze waren een vuur aan het aansteken en er verspreidde zich een geur van rook.

Iemand begon gitaar te spelen. Hij was eerst even bezig geweest hem te stemmen. Er klonken liedjes op met koortjes en met gefluit dat als begeleiding moest dienen. Binnen vijf minuten werd er gesprongen en gedanst, gelach aan het eind van ieder liedje als om elkaar te feliciteren, stemmen die om meer muziek vroegen, soms leek het of ze uit het raam riepen, zo luid werd er gepraat. Ik hoorde zelfs het stuiteren van een bal.

Mensen die zingen en dansen hebben geen kwaad in de zin, zei ik tegen mezelf.

Ik opende en sloot mijn handen een paar keer alsof ik kracht wilde verzamelen. Tegen de muur gehurkt nam ik de tijd voordat ik me liet zien. Misschien moest ik tot drie tellen. Ik ademde diep in. Als het doden waren, konden ze me geen kwaad doen. En doden waren het niet, want ik hoorde ze. Vluchtelingen slechts, mensen die ondanks alles nog leven en lachen en met gezang gelegenheden opluisteren, een bruiloft misschien of de geboorte van een kind. Vasja Nesterenko moest er zeker zijn, ook al herkende ik zijn stem niet, want de taal maakte ze allemaal gelijk.

Iedereen begon in de handen te klappen, zo moedigden ze het dansen aan, de gitaar speelde haar akkoorden op de maat, en een hand markeerde het ritme door op wat volgens mij de deksel van een pan was of iets dergelijks, te slaan. Er klonken belletjes en iemand begon gevoelig het lied van de vogel Anatoli te zingen, ik had het in de vertaling van Vasja gehoord. Vogeltje Anatoli, vogeltje Anatoli, het vriendje van de kinderen, dat ben jij.

Ik stond op en liep tussen de puinbrokken naar een hal, kwam vervolgens uit op een halfronde gang met deuren aan een kant, de stemmen en het schijnsel van het vuur leidden mij. Ten slotte kwam ik in een zaal met theaterstoelen, dat moest natuurlijk het Prometheus zijn. Op het podium zat een tiental mensen, misschien meer. Ook Jaroslav Zjmychov, die iedereen de toon aangaf, was erbij. Opnieuw laat je je zien, Zjmychov, dacht ik. En ditmaal niet alleen aan mij.

Ik begaf me naar het podium. Vasja? Vasili Nesterenko? Ik moest het harder en verschillende keren zeggen voordat ze aandacht aan me schonken. Onder zo veel mensen moest er iemand zijn die wist waar hij was. Maar ze gingen door met waar ze mee bezig waren alsof ze me niet hoorden. Ze zongen en dansten, behalve één vrouw die zich uiteindelijk omkeerde en toen ze me zag zich bukte om me meer van nabij te bekijken. Ik hoorde niet bij haar gezelschap, zag ze plotseling, en ze zei iets in het Russisch en aangezien ik bleef zwijgen voegde ze er nog een twintigtal woorden aan toe die ze sterk en langzaam articuleerde om zich beter verstaanbaar te maken, het moet een begroeting zijn geweest of een uitnodiging, het leek me niet dat het een waarschuwing kon zijn. Ze bood me haar hand, zing iets traditioneels van waar u vandaan komt, leek ze te zeggen, we houden van bezoek dat van buiten het gebied komt, vooral als het vrolijke mensen zijn die iets te vertellen hebben, nieuws of wat voor verwikkeling uit de wereld dan ook. Ik voelde dat haar hand warm was en beschouwde dat als een garantie. Ze moedigde me aan iets te zingen, maar ik zei haar van niet, want wat voor dans was dat.

Ik vroeg haar of ze wist waar Vasili Nesterenko was en ik liet haar de foto zien, op het eerste gezicht was hij niet bij degenen die aan het zingen waren. Ik vroeg haar me het zo gauw mogelijk te zeggen, want anders wilde ik meteen uit Prypjat vertrekken. Al loop ik 's nachts, dat kan me niet schelen. Vertel me alleen maar bij benadering in welke richting ik ga.

Nadat ze de foto had gezien kwam de vrouw het podium af, nam me bij de arm en wilde dat ik met haar meeging. Ze nam me mee naar een andere vrouw, die kruislings over haar jas een gekleurd lint droeg, net zoals een sjerp van de ene schouder naar de tegenovergestelde heup, waarschijnlijk een onderdeel van haar feestkledij voor die avond, wat zouden ze vieren? Ze praatten even onder elkaar, beiden hadden een vreedzame uitdrukking in de ogen, en ze begonnen mijn gezicht aan te raken alsof ze me welkom heetten, want met woorden konden we geen kant uit, noch ik kende hun taal noch zij de mijne.

Die tweede vrouw maakte tekens met haar handen, bijna zoals voor doofstommen. Ten slotte namen ze me, terwijl de anderen doorgingen met zingen, mee achter de coulissen naar een kleed-kamer en door het raam wees ze me naar een bos met zwarte bomen in de verte. Omdat ik het nog niet begreep, gingen we naar Zjmychov zodat hij als tolk kon fungeren.

O, maar u bent hier, zei hij toen hij me zag. Op dat moment was Zjmychov iemand die onder de omstandigheden was gegroeid, hij leek de dirigent van de mensen die aan het zingen waren, zo verward als ze raakten toen hij stopte hun stemmen de maat aan te geven. Toch waren ze geen minuut later alweer aan het zingen en keerden de dans, het handgeklap en de vrolijkheid terug. Ik heb u alsmaar in de straten hier lopen zoeken, ging Zjmychov verder. Waarom ging u weg uit het Oktober? U vertrok en wachtte niet op mij. Maar goed, ik vind het allemaal best. Want kijk eens om u heen, ze bestonden echt.

Zjmychov spreidde zijn armen uit om ze mij allemaal te laten zien.

De stemmen en de liederen die ik hoorde bestonden echt, niks geen inbeelding van mij.

Dit is een afscheid, want zij vertrekt vanavond, zei hij, waarmee hij doelde op de vrouw met het gekleurde lint die mij vergezelde. Maar omdat ik in haar plaats kom, verandert de census van Prypjat niet, en dat is een overwinning op het atoom. Haar zeggen ze vaarwel en mij heten ze welkom. Aan de ene kant zijn ze dus bedroefd, maar aan de andere kant blij.

Ze hadden zich verzameld aan de voet van het reuzenrad, plotseling ontmoette ik ze.

En dat is dankzij u. Doordat ik u de hele tijd in de straten en bij het volle licht aan het zoeken was. Anders had ik ze niet gezien. Wat is dat toch, het daglicht, zo veel goeds als dat bevat. Andere kleuren, en vooral dat je ziet.

Dat je levende mensen tegenkomt.

Toen heb ik tegen mezelf gezegd: Als er dan feest is, laten we het dan aangrijpen om flink kabaal te maken. Ik ben een bezoeker kwijtgeraakt en als hij het hoort, zal hij zich kunnen oriënteren. Daarom speelde ik nu orkestdirigent. Goed hard zingen. Raak de trom maar stevig en hij zal tevoorschijn komen. En hier bent u dan.

De vrouw met het lint, die me als haar vondst moest beschouwen en het initiatief niet aan Zjmychov wilde afstaan, bood me koffie aan door te doen alsof ze in de lucht een kopje volschonk, er suiker doorroerde en een paar slokjes dronk. Ze barstte in lachen uit en bedekte haar gezicht om haar dwaasheid. Ik wist niet hoe ik haar attenties moest beantwoorden, ik kon niets anders bedenken dan haar lint goed te hangen, want het was een beetje afgezakt. Daar maakte ze gebruik van om me mee te nemen naar de tafel waar een paar flessen *samogon* en een koffiepot op stonden, misschien wel de pot die Chvorost aan Anna Zorina als verlovingscadeau had gegeven. Ik hoefde geen koffie, want ik bedacht me van welk water die was gemaakt.

Ja, maar Nesterenko?

De vrouw trok mij aan mijn mouw. Ze wilde dat ik naar haar keek. Eerst naar haar ogen, maar daarna naar wat ze deed. Zonder de foto van Nesterenko los te laten schoof ze de koffiepot en de *samogon* opzij en tekende met een krijtje een Latijns kruis op de tafel. Daaronder schreef ze de naam Vasja en drukte er een kus op.

Ze heet Ilsa, zei Zjmychov. Ilsa, de weduwe van Nesterenko. En ze wacht blijkbaar op Jevgeni Brovkin om haar vanavond mee te nemen uit Prypjat.

Dus maak gebruik van die rit en ga met haar mee.

Onder aan het podium van het Prometheus pakten drie vrouwen elkaar bij de hand, ze moeten elkaar grapjes hebben verteld, want ze stikten van de lach. Een oude man was op de grond gaan zitten, daar zat hij goed. De rest van ons dronk alsmaar *samogon*, we dansten in een kring, ze gebruikten het kleurige lint van Olga om zich met elkaar te vervlechten, omdat ik de passen niet kende hield ik me een beetje afzijdig, en een man was volgens Zjmychov begonnen *Het Koelikovo-veld* van Aleksandr Blok voor te dragen, toen een halfuur later, toeterend met de claxon van zijn busje, Jevgeni Brovkin verscheen en iedereen ophield.

We gingen naar het raam en we zagen dat hij de lichten aan liet en de motor stationair liet draaien, waarschijnlijk dacht hij niet lang bezig te zijn. Hij stapte uit en wachtte tot wij het filmtheater

Prometheus verlieten. Hij wilde dat we dichterbij kwamen, want voordat hij Ilsa mee zou nemen wilde hij ons iets laten zien. Allemaal komen, zei hij met een grijns: Kijk hier, mijn sprong naar de roem. Hij maakte een laptop open die hij uit een koffertje haalde, en opende beelden van een documentaire van RTL-tv waarin hij verscheen. Het leek erop dat het opnames waren die hem cadeau waren gedaan.

Hij vertelde, in de woorden van Zjmychov, dat Chvorost en Anna Zorina de grote illusie waren voor Prypjat, want zij had ja gezegd. Een heel groot ja.

Ze leefden al als echtpaar en nu kwamen ze hotel Oktober niet meer uit. Laat ze toch, zeiden de anderen. Jevgeni zette een paar blikken conserven voor hun deur en daar liet hij ze staan, want hij wilde hen niet storen. Maar de laatste keer dat hij in het Oktober kwam, hadden ze de vorige blikken nog niet weggehaald en hij maakte zich zorgen.

Vervolgens grijnsde hij in de camera met de sporthal Tsjemigov als achtergrond. Hij zette een paar stappen, boog zijn hoofd, gaf een trap tegen een steen. Hij zei dat hij erover dacht van werk te veranderen. Het punt was dat het Ministerie voor Noodsituaties van Oekraïne zijn vergunning niet had verlengd en dat allemaal vanwege de remmen van zijn bus.

Jevgeni Brovkin liet voor de camera een paar documenten zien waarop de einddatum stond. Hij zei dat de soldaten van de controlepost hem misschien niet meer lieten passeren. Het was over. Aan de andere kant vond hij het moeilijk, telkens wanneer hij naar Prypjat terugkeerde. Voorheen was er handel. En Lavrenti Bachtiarov was er en de zusjes Zorina, niet slechts een. Nastja Jeltsova, de spoorwegman van Janov. Afijn, een heel stel. Kolonisten noemde hij hen.

Nu waren het anderen. Allemaal beste mensen, maar anderen. Laten we zeggen vervangingsmensen.

Het was waar dat Vasja Nesterenko, de vorige baas van het *gorkom*, was teruggekeerd, maar dat was om er te sterven. Hij verscheen op een gegeven dag, op zijn fiets gezeten, achter het

Paviljoen van de Technische Vooruitgang, alsof hij nooit was weggeweest. Hij liet zijn bel rinkelen en hij had twee kippen bij zich, aan het stuur gebonden. Volgens degenen die waren toegesneld, vertelde hij dat zijn Franse dagen in een hel waren veranderd vanaf het moment dat hij hoorde dat een stel mannen Ilsa uit het huis van Jelena Demidova hadden gehaald en haar, als represaille of om hem zich aan te laten geven, in Prypjat hadden achtergelaten.

Maar nu was hij hier.

Hij at niet en hij klaagde over een koortsgevoel dat uit het midden van zijn borst omhoog kwam.

Ik wil naast haar sterven, neuriede hij gezeten op zijn fiets, *Sterven naast mijn geliefde*. En iedereen herinnerde zich het lied van Demis Roussos dat de magere Bachtiarov zong: 'Als ik moet sterven/ wil ik dat jij hier bent/ ik weet dat zo veel liefde' et cetera. En op een ochtend opende hij, opgerold naast Ilsa, zijn ogen niet meer.

In de documentaire stak Jevgeni Brovkin een sigaret op terwijl hij de vlam met zijn hand afschermde. Daarna bleef hij in de camera kijken, terwijl hij de rook uitblies.

Dat was alles.

Een paar feliciteerden hem omdat hij het zo goed had gedaan.

Brovkin zei dat we overdreven. Hij borg de laptop op, keek om zich heen en vroeg naar Ilsa. Want ze moesten voor dag en dauw vertrekken, dat was de voorwaarde die ze bij de slagboom hadden gesteld om hem nog één keer door te laten. Meteen ging iedereen, met Zjmychov en mij in de achterhoede, naar de tuin achter het Polesje. Ilsa zat naast het graf van haar man, ze had zojuist de spijkers van een withouten kruis, waarop de naam van Vasili Nesterenko te lezen stond, stevig vastgeslagen, dat was de plek waar hij was begraven.

Wanneer je wilt, Ilsa.

Met veel pijn in haar gewrichten kwam Ilsa overeind. Ik heb er veel over nagedacht, zei ze, en nu heb ik andere plannen. Ze fatsoeneerde haar kapsel, want ze wilde niet dat ze ongemanierd zou overkomen. Ze richtte een blik op Jevgeni Brovkin waarin ze haar idee over erkentelijkheid samenvatte en zei: Want, hoezo zou ik weggaan?

Zjmychov vertaalde een paar zinnen voor mij:

Ik weet wel, vervolgde Ilsa, dat je Vasja beloofd hebt mij uit Prypjat weg te halen wanneer hij dood zou zijn. Ik ontsla je van die verplichting.

Weggaan, hem hier in dit plantsoen achterlaten en ik rustig daar in mijn huis in Minsk. Zijn fauteuil, zijn marmelades. Zijn vishengels.

Het spijt me echt dat je voor niets bent gekomen. En nog wel 's nachts.

Kom tenminste even het Polesje binnen en eet een beetje bieten-soep voordat je weggaat, Katarina beheerst alle soorten soep.

Ilsa deed de kraag van haar overjas omhoog, ze blies haar handen warm.

Maar ik blijf. We weten dat er straten zijn waar je niet moet komen. Dus kom je er niet en klaar. Vasja vertelde me dat de men-sen in Skorodnoje, in Valavsk en in andere dorpen rode strepen trokken. En dat er in het gemeentehuis een kaart hing met de verboden straten. Hier kunnen we hetzelfde doen.

Want het ziet ernaar uit, zei ze met een blik op Zjmychov, dat we vanaf vandaag twee geigertellers hebben.

Bij het horen daarvan haalde Zjmychov er een uit zijn zak en toonde hem aan iedereen zodat ze zagen dat het waar was, een echte geigerteller, de andere bewaarde hij thuis.

En als jij niet meer terugkomt, Jevgeni.

Als je niet terugkomt omdat ze je de slagboom niet meer laten passeren, dan regelen we iets met mevrouw Tatartsjoek. Of we vragen het aan Rimma, of zij ons contact met de buitenwereld wil zijn, dat zal ze best goed doen.

Er is voor bijna alles een oplossing, zo zie je maar.

Een vrouw wilde haar bij de arm nemen, maar Ilsa stapte opzij. Laat niemand aandringen, want ik ga niet.

Jullie zullen me niet overtuigen. Ga jij, Valentina Maljavskaja, als je wilt. Wie wil leven, moet gaan, dat heeft hij tegen iedereen gezegd. Maar ik niet.

Want kijk eens wat voor mensen dit zijn, Jevgeni.

Kijk de tweeling Ramanenka eens. Toen Vasja terugkwam vroegen ze hem meteen of hij zou blijven, dan zochten ze voor ons een geschikt appartement, Pavlina en Darja Ramanenka, alle twee, daar heb je ze. De dag dat hij stierf maakten ze hem zo mooi op dat hij een slapende adonis leek, ze zeiden dat ze hem dat verschuldigd waren omdat hij een paar kinderen van het weeshuis had genezen.

Het is niet zo dat de pectine wonderen verricht, maar het helpt wel. Een voorbeeld: Viktor, Viktor Sjnarau, die met de korte armpjes. Die jongen die ik weet niet meer wie bij de oren vastgreep en toen niet meer wilde loslaten.

Ilsa liep naar twee mannen die zich achter de anderen verstopten. En deze, zei ze terwijl ze een van hen aan de mouw trok, deze heet Manaltev en degene die daarnet met hem danste, is Artjom Tsjoebinets, kom een beetje dichterbij zodat we jullie kunnen zien.

En dan is er de jonge gitarist, Semjon Pozjar, dertien jaar is-ie, een en al jeugdig enthousiasme wanneer hij voor zijn vogel Anatoli zingt. Hij zegt dat hij iedereen die maar wil, aanbiedt muziek te leren.

Waar heb je zulke mensen? Hè, Jevgeni?

Terwijl Zjmychov vertaalde, knikte hij bevestigend met zijn hoofd. Dat is waar, waar heb je zulke mensen?

En hier, de weduwe van Olzjas Soevarin. Als ze de spullen had zou ze meteen een heerlijke *hahm suen choy* voor ons maken. Wat die niet heeft gehuild toen we Vasja begroeven. En het aantal gebeden in diverse Slavische talen dat ze aan hem opdroeg.

Deze andere is Katja Badajeva, die het Tsjeljoeskintsypark verliet en naar deze streek is teruggekeerd omdat ze de vieze geur van de mannen miste, dat zei ze tenminste.

Jevgeni, ik kan niet zeggen ik ga en zoeken jullie het maar uit, ik zou er later spijt van krijgen.

Zjmychov gaf haar opnieuw gelijk.

Vasja kwam niet alleen voor mij terug naar Prypjat, ging Ilsa verder. Ook voor hen.

Katarina de schone, die van de soepen. Vladimir Chomtsjenko, die man met de astrakan pet, die werkte in een kolchoz. Zijn zoon werd met Vitapekt behandeld in het BELRAD. Hij stierf uiteindelijk, maar hij wist dat Vasja had gedaan wat hij kon.

Konstantin Borisjenko, die met die prachtige anjer in zijn knoopsgat, is erg achteruitgegaan. Maar hij leeft nog, min of meer. De journaliste die een engel werd, bracht taartjes uit Minsk voor hem mee. Svetlana Aleksejevitsj heet ze.

Ilsa draaide zich naar hen toe om ze aan te kijken en ze legde een hand op de schouders van degenen die het dichtstbij stonden.

Hun namen staan in mijn geheugen gegrift. Het zou me niet verbazen wanneer de röntgenstralen niet alleen de schade duurzaam maken, maar ook het geheugen.

Daar, Roman Kozak, voormalig soldaat. Hij zegt dat hij de heks Paraska heeft gekend en dat haar bewering dat ze het veld kan zuiveren van strontium-90, oplichterij is.

Kijk eens wat een rond gezicht die Roman heeft.

Die eerlijke handen, daarmee heeft hij het graf voor Vasja gedolven, en hij gaf er niets om dat het regende. Hij zong tijdens de uitvaart, en zijn woorden waren die van een heilige.

Van de eerste tijd is er bijna niemand meer over. Anders zou Lavrenti Bachtiarov de zanger zijn geweest bij Vasja's uitvaart.

Maar beetje bij beetje zijn er anderen gekomen, zoals de pedagoog Pjotr Lis. Hij kwam aan met een koffer en een half dozijn blanco schriften, en nu is hij begonnen een geïllustreerde geschiedenis van Prypjat te schrijven, met tekeningen van zijn hand.

Hij denkt er ook over voor studenten een handboek filosofie te schrijven.

Die met de handen in de zakken, hoe die heet weet ik niet meer, het zijn er zo veel.

Daar achter zie ik Aleksandr Kroepenkin, voorzitter van de Vereniging van Tandartsen van Gomel, hij vertelde me dat hij chirurgisch materiaal naar Prypjat heeft meegebracht. Als je een gebitscontrole nodig hebt, geeft hij je die gratis. Is het niet, meneer Kroepenkin?

Vasja en hij voerden een paar gesprekken met elkaar.

Ze spraken over vooruitgang.

Vasja zei tegen hem: Meneer Kroepenkin, ik geloof ook in de krachten van de verandering.

En hij daar die tijdens het dansen bijna alle *samogon* heeft opgedronken, is Jermakov, van de school in Teremtsy. Jermakov, zijn voornaam herinner ik me ook niet meer, je kunt zien dat de invloed van de röntgenstraling op het geheugen zijn grenzen kent.

Kijk naar ze, Jevgeni, je kunt ze aanraken. En ik raak ze aan, kijk hoe ik ze aanraak. *Samosjol*, inderdaad. Maar voor mij zijn ze meer waard dan goud.

Ze weten allemaal dat ze weg moeten gaan. Zo niet, dan gaan ze dood. En toch, hier zijn ze.

Ze houden nog steeds vol.

Dit zijn Fjodor Osiptsov en Veronika Malasjkina, vandaag een gelukkig stel, zij waren het die Vasja op de fiets vanachter het Paviljoen van de Technische Vooruitgang zagen verschijnen en die het bericht verspreidden, Fedor nam hem toen in de armen om hem de laatste tweehonderd meter te besparen. En Valentina Maljavskaja, stralingsmeter. Alle drie houden ze ervan te dansen op de kozakkenmanier.

En daar, Jevgeni, onder dat kruis van witte planken, daar ligt Vasja alsof hij slaapt. Totale en definitieve liefde.

DANKWOORD

Mijn dank aan Wladimir Tsjertkoff, Alberto Merino, Galia Ackerman, ZJores Medvedev, Alla Jarosjinskaja, Svetlana Aleksejevitsj, Joeri Bandazjevski en zijn vrouw Galina, A.V. Jablokov, Alfredo Embid, Thomas Johnson, Graeme Wells, Eva Cortés, Christian Schüller en Georg Motylewicz, en de gezusters Anna en Olga Zorina.

NOTEN

p. 69 Galia Ackerman, Guillaume Granzadi et Frédérik Lemarchand. *Les silences de Tchernobyl. L'avenir contaminé.* Interview met Professor Vasili Nesterenko. «L'Europe aurait pu devenir inhabitable...»

p. 90 Wladimir Tsjertkoff. *Le crime de Tchernobyl. Le goulag nucléaire.* 'MINZDRAV stuurt een ultimatum aan Nesterenko.'

p. 111 Alla Yaroshinskaya, *Chernobyl. The forbidden truth.* Van dezelfde auteur, '*Strictement confidentiel*', in Ackerman e.a., *Les silences de Tchernobyl.* Fragmenten in *Érase una vez Chernóbil*, CCCB, Barcelona, en in: http://www.rri.kyoto-u. ac.jp/NSRG/reports/kr21/kr21pdf/1M-data.pdf, van Tetsuji Imanaka, Universiteit van Kyoto.

p. 116 G. Lochak, A. Roukhadze, L. Oeroetskojev en D. Filippov, 'O vozmojnom fizitcheskom mekhanizme Tchernobylskoï avarii i nesostoïatelnosti ofisialnogo zakliutchenïa', (Over het eventuele fysische mechanisme van het ongeluk in Tsjernobyl en de inconsistentie van de officiële conclusie), *Fizitcheskaïa mysl Rossïi*, n° 2, 2003, in Galia Ackerman, *Tchernobyl, retour sur un désastre.*

p. 136 C.C. Lushbaugh, S.A. Fry en R.C. Ricks, 'Medical and radiobiological basis of radiation accident management',

British Journal of Radiology, 60 (1987) 1159-1163, geciteerd in Zjores Medvedev, *De erfenis van Tsjernobyl*.

p. 137 ECRR, Aanbevelingen van het Europees Comité aangaande Stralingsrisico, 2003. Uitgave van de Raad. Brussel, 2003.